‘사고력수학의 시작’

팡세

pensées

D4

4학년 | 카운팅

사고력 수학을 묻고
팡세가 답해요

Q: 사고력 수학은 '왜' 해야 하나요?

사고력 수학은 아이에게 낯선 문제를 접하게 함으로써 여러 가지 문제 해결 방법을 아이 스스로 생각하게 하는 것에 목적이 있어요. 정석적인 한 가지 풀이법만 알고 있는 아이는 결국 중등 이후에 나오는 응용 문제에 대한 해결력이 현저히 떨어지게 되지요. 반면 사고력 수학을 통해 여러 가지 풀이법을 스스로 생각하고 알아낸 경험이 있는 아이들은 한 번 막히는 문제도 다른 방법으로 뚫어낼 힘이 생기게 된답니다. 이러한 힘을 기르는 데 있어 사고력 수학이 가장 크게 도움이 된다고 확신해요.

Q: 사고력 수학이 '필수'인가요?

No but Yes! 초등 수학에서 가장 필수적인 것은 교과와 연산이지요. 또 중등에서의 서술형 평가를 대비하기 위한 서술형 학습과 어려운 중등 도형을 헤쳐나가기 위한 도형 학습 정도를 추가하면 돼요. 사고력 수학은 그 다음으로 중요하다고 할 수 있어요. 다만 만약 중등 이후에도 상위권을 꾸준하게 유지하겠다고 하시면 사고력 수학은 필수랍니다.

Q: 사고력 수학, 꼭 '어려운' 문제를 풀어야 하나요?

No! 기존의 사고력 수학 교재가 어려운 이유는 영재교육원 입시 때문이었어요. 상위권 중에서도 더 잘하는 아이, 즉 영재를 골라내는 시험에 사고력수학 문제가 단골로 출제되었고, 이에 대비하기 위해 만들어진 것이 초창기 사고력 수학 교재이지요. 하지만 모든 아이들이 영재일 수는 없고, 또 그래야할 필요도 없어요. 사고력 수학으로 영재를 확실하게 선별할 수 있는 것도 아니에요. 따라서 사고력 수학의 원래 목적, 즉 새로운 문제를 풀 수 있는 능력만 기를 수 있다면 난이도는 중요하지 않답니다. 오히려 어려운 문제는 수학에 대한 아이들의 자신감을 떨어뜨리는 부작용이 있다는 점! 반드시 기억해야 해요.

Q: 사고력 수학 학습에서 어떤 점에 '유의'해야 할까요?

가장 중요한 것은 아이가 스스로 방법을 생각할 수 있는 시간을 충분히 주는 거예요. 엄마나 선생님이 옆에서 방법을 바로 알려주거나 해답지를 줘버리면 사고력 수학의 효과는 없는 거나 마찬가지랍니다. 설령 문제를 못 풀더라도 아이가 스스로 고민하는 습관을 가지고, 방법을 찾아가는 시간을 늘리는 것이 아이의 문제해결력과 집중력을 기르는 방법이라고 꼭 새기며 아이가 스스로 발전할 수 있는 가능성을 믿어 보세요.
또 하나 더 강조하고 싶은 것은 문제의 답을 모두 맞힐 필요가 없다는 거예요. 사고력 수학 문제를 백점 맞는다고 해서 바로 성적이 쑥쑥 오르는 것이 아니에요. 사고력 수학은 훗날 아이가 더 어려운 문제를 풀기 위한 수학적 힘을 기르는 과정으로 봐야 하는 거지요. 그러니 아이가 하나 맞히고 틀리는 것에 일희일비하지 말고 우리 아이가 문제를 어떤 방법으로 풀려고 했고, 왜 어려워 하는지 표현하게 하는 것이 훨씬 중요하답니다. 사고력 수학은 문제의 결과인 답보다 답을 찾아가는 과정 그 자체에 의미가 있다는 사실을 꼭! 꼭! 기억해 주세요.

팡세의 구성과 특징

1. 패턴, 퍼즐과 전략, 유추, 카운팅 - 새로운 시대에 맞는 새로운 사고력 영역!
2. 아이가 혼자서도 술술 풀어나가며 자신감을 기르기에 딱 좋은 난이도!
3. 하루 10분 1장만 풀어도 초등에서 꼭 키워야 하는 사고력을 쑥쑥!

일일 소주제 학습

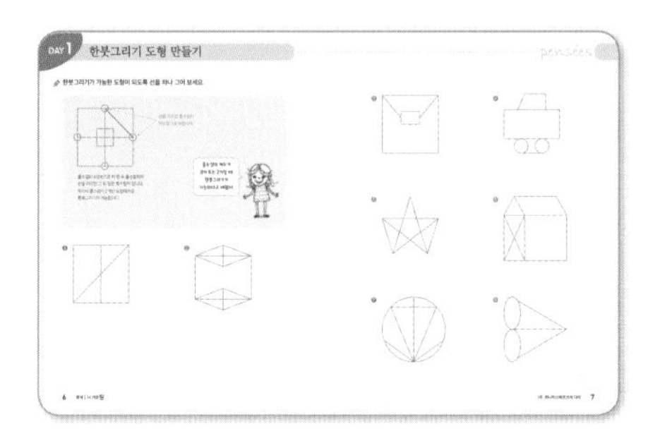

하루에 10분씩
매일 1장씩만
꾸준히 풀면 돼.

주차별 확인학습

5일 동안 배운 것 중
가장 중요한 문제를
복습하는 거야!

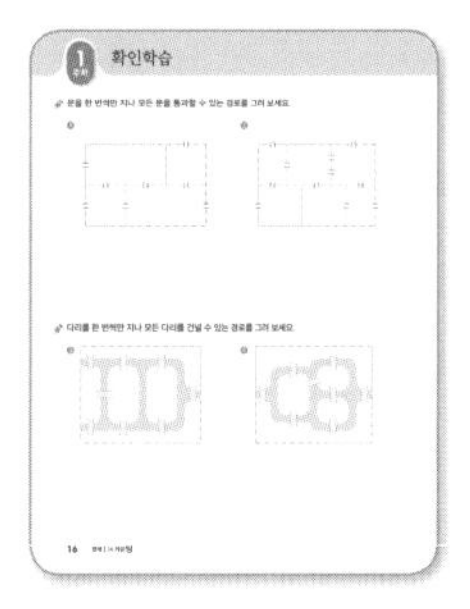

월간 마무리 평가

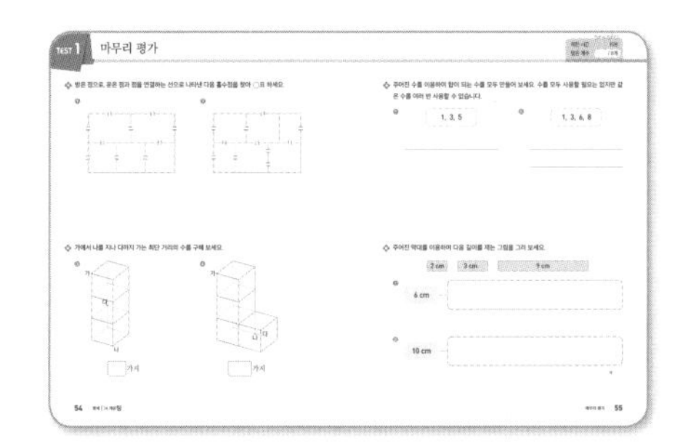

4주 동안 공부한
내용 중 어디가 부족한지
알 수 있다. 삐리삐리~

이 책의

차례

D4

pensées

1
주차

쾨니히스베르크의 다리

한붓그리기 도형 만들기

한붓그리기가 가능한 도형이 되도록 선을 하나 그어 보세요.

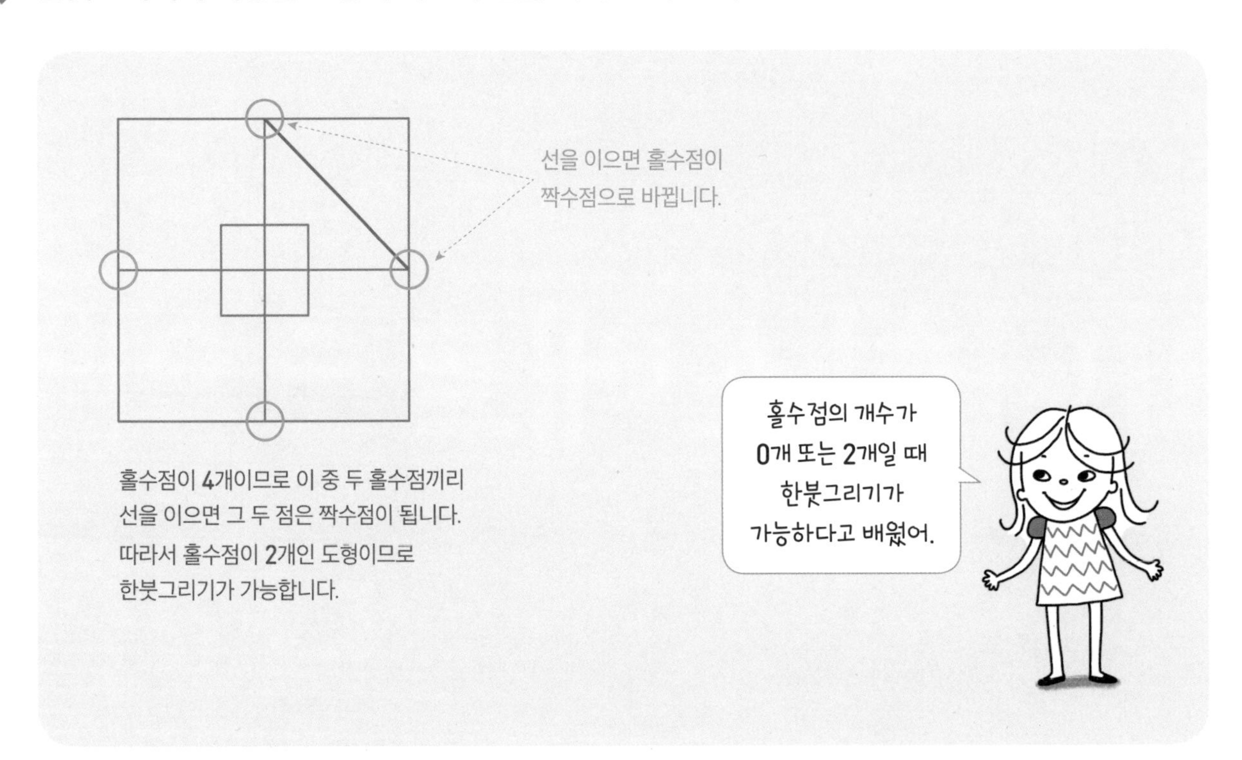

선을 이으면 홀수점이
짝수점으로 바뀝니다.
홀수점이 4개이므로 이 중 두 홀수점끼리
선을 이으면 그 두 점은 짝수점이 됩니다.
따라서 홀수점이 2개인 도형이므로
한붓그리기가 가능합니다.
홀수점의 개수가
0개 또는 2개일 때
한붓그리기가
가능하다고 배웠어.

❶

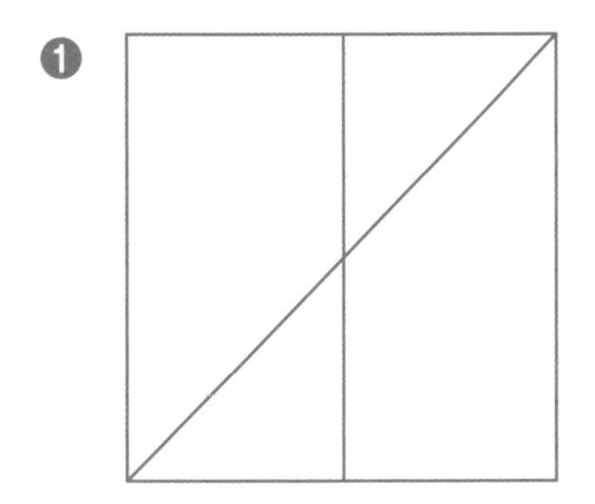

❷

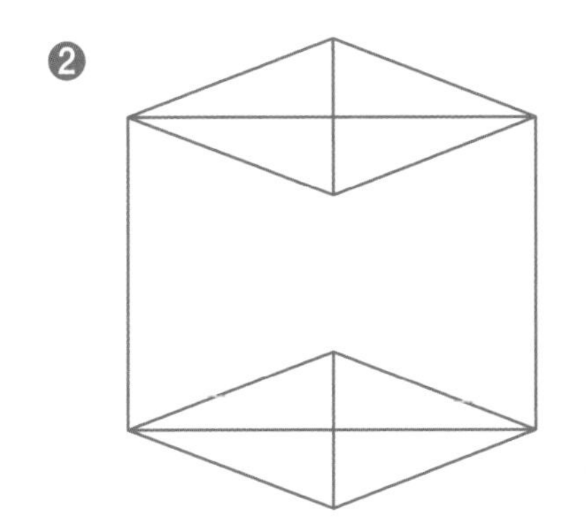

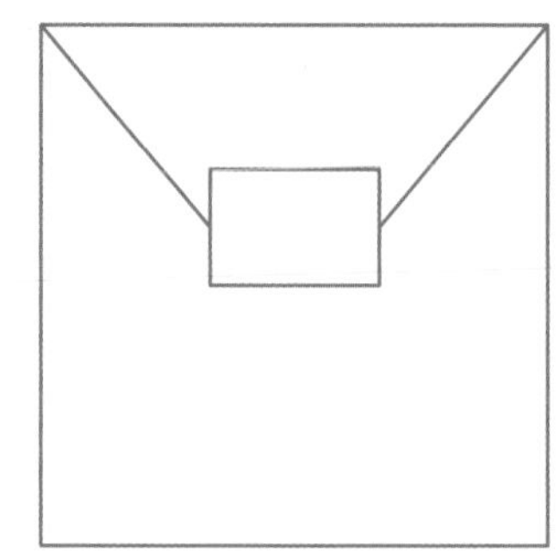

❹

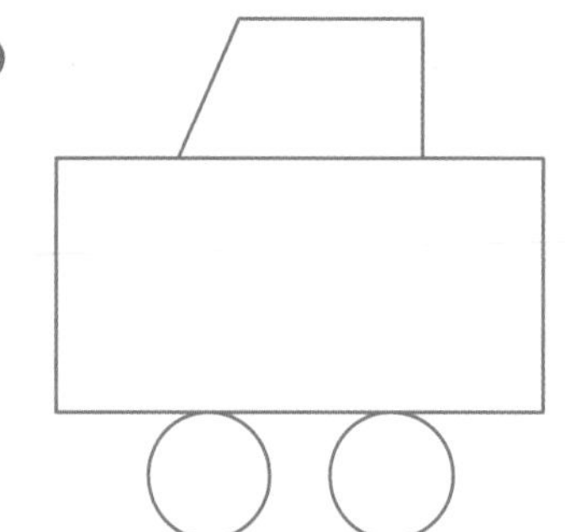

❺

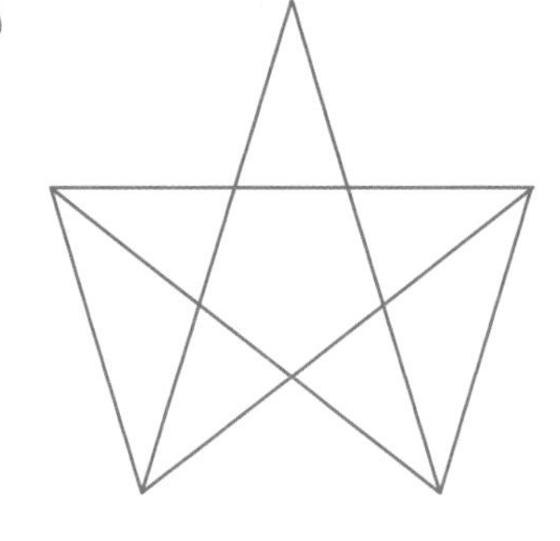

❻

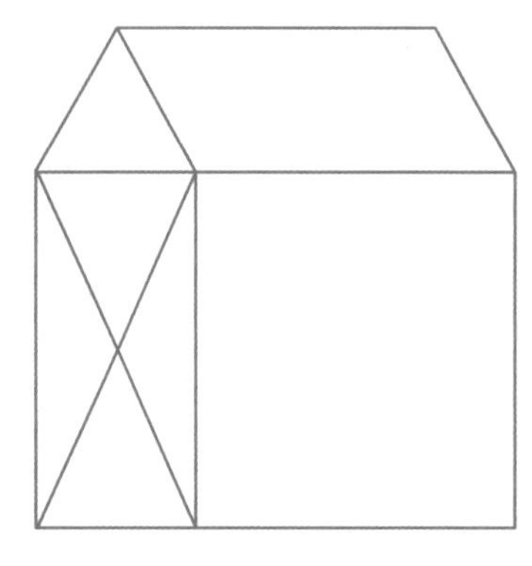

❼

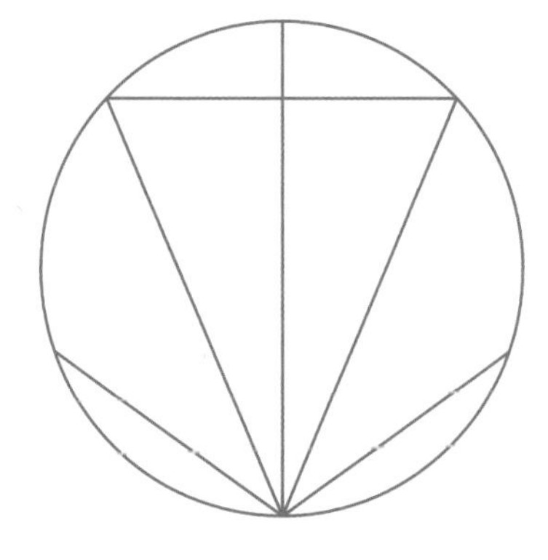

❽

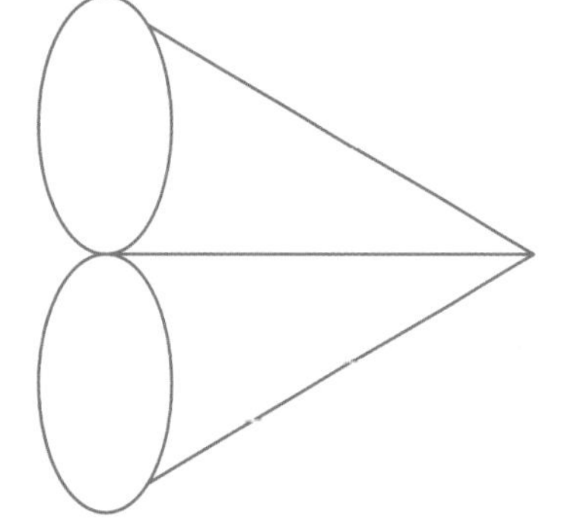

점과 선으로 나타내기

방은 점으로, 문은 점과 점을 연결하는 선으로 나타낸 다음 홀수점을 찾아 ○표 하세요.

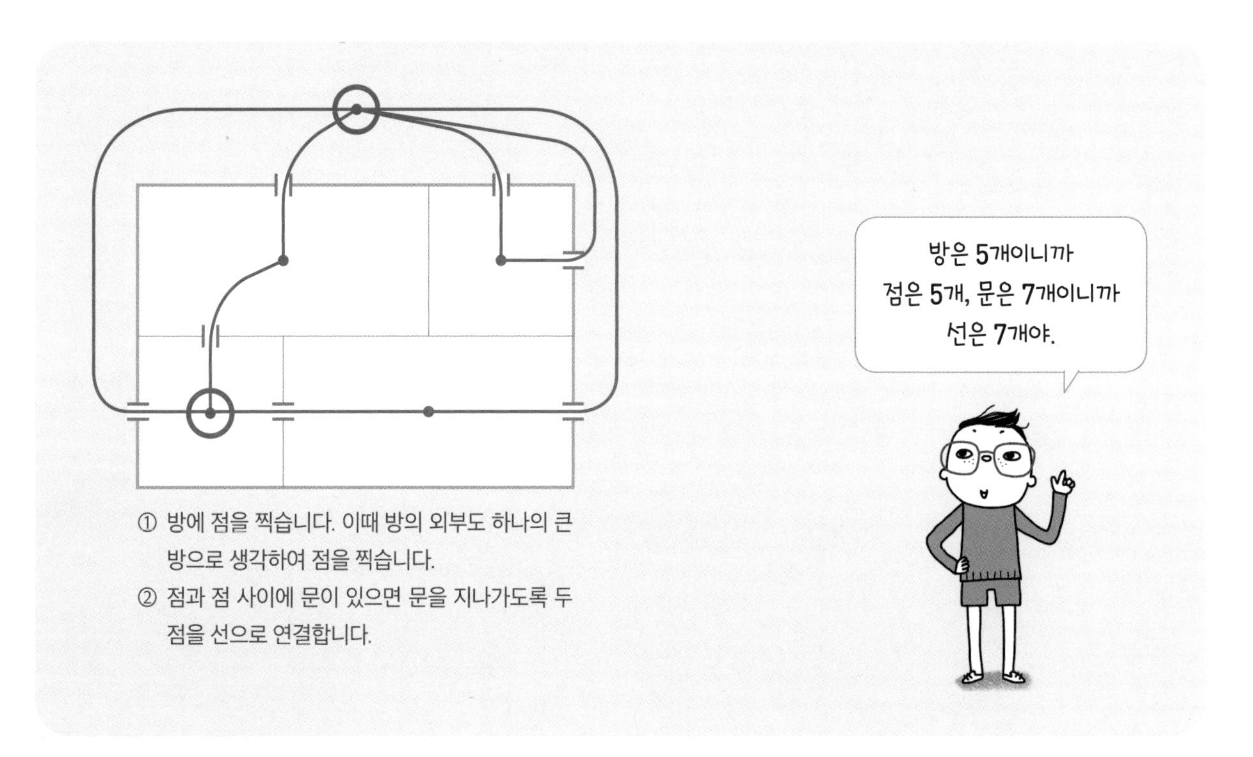

방은 5개이니까
점은 5개, 문은 7개이니까
선은 7개야.

① 방에 점을 찍습니다. 이때 방의 외부도 하나의 큰 방으로 생각하여 점을 찍습니다.
② 점과 점 사이에 문이 있으면 문을 지나가도록 두 점을 선으로 연결합니다.

❶

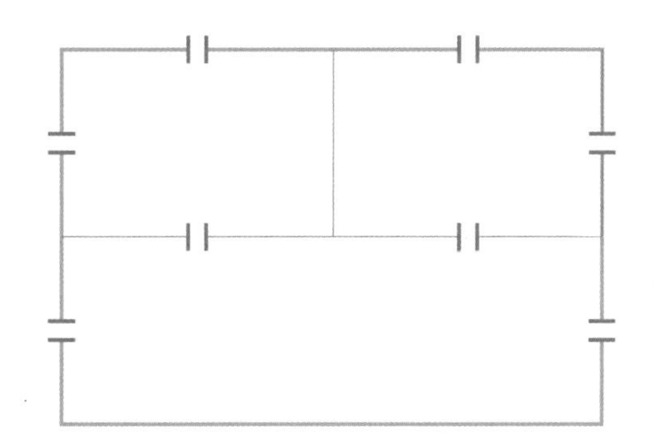

❷

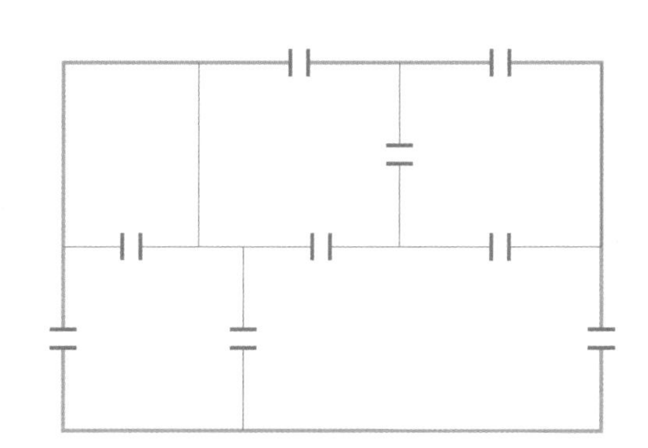

❸

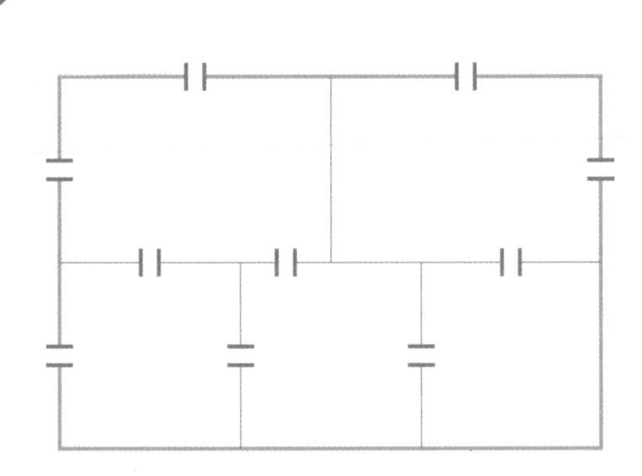

❹

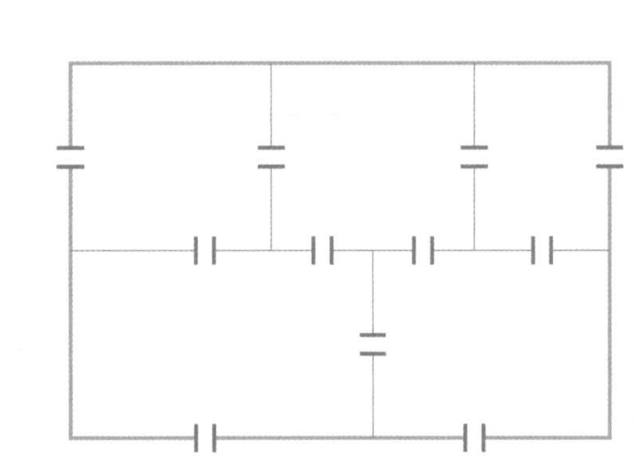

❺

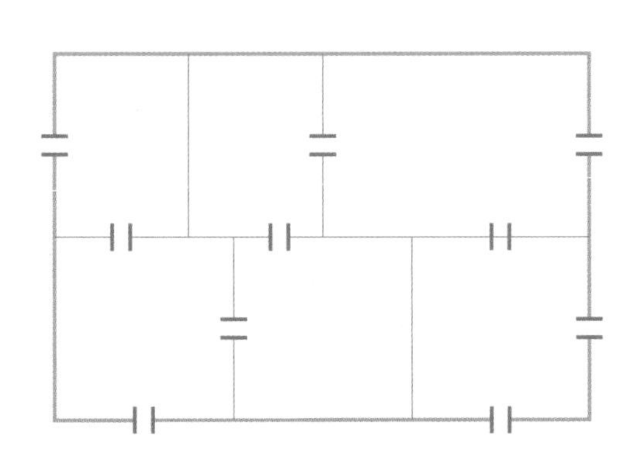

❻

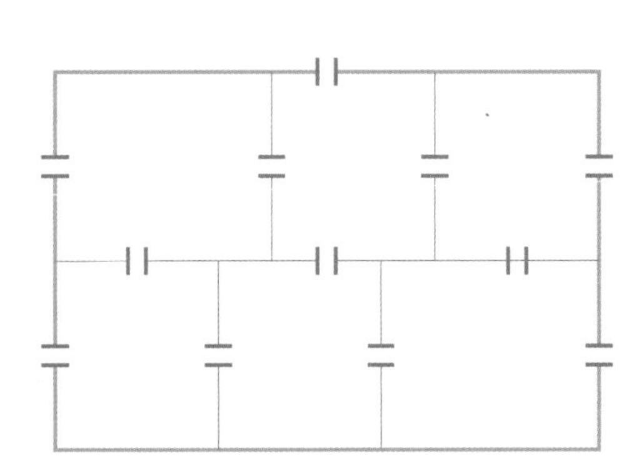

DAY 3 출입구 만들기

✏ 문을 한 번씩만 지나 모든 문을 통과할 수 있는 경로를 그려 보세요.

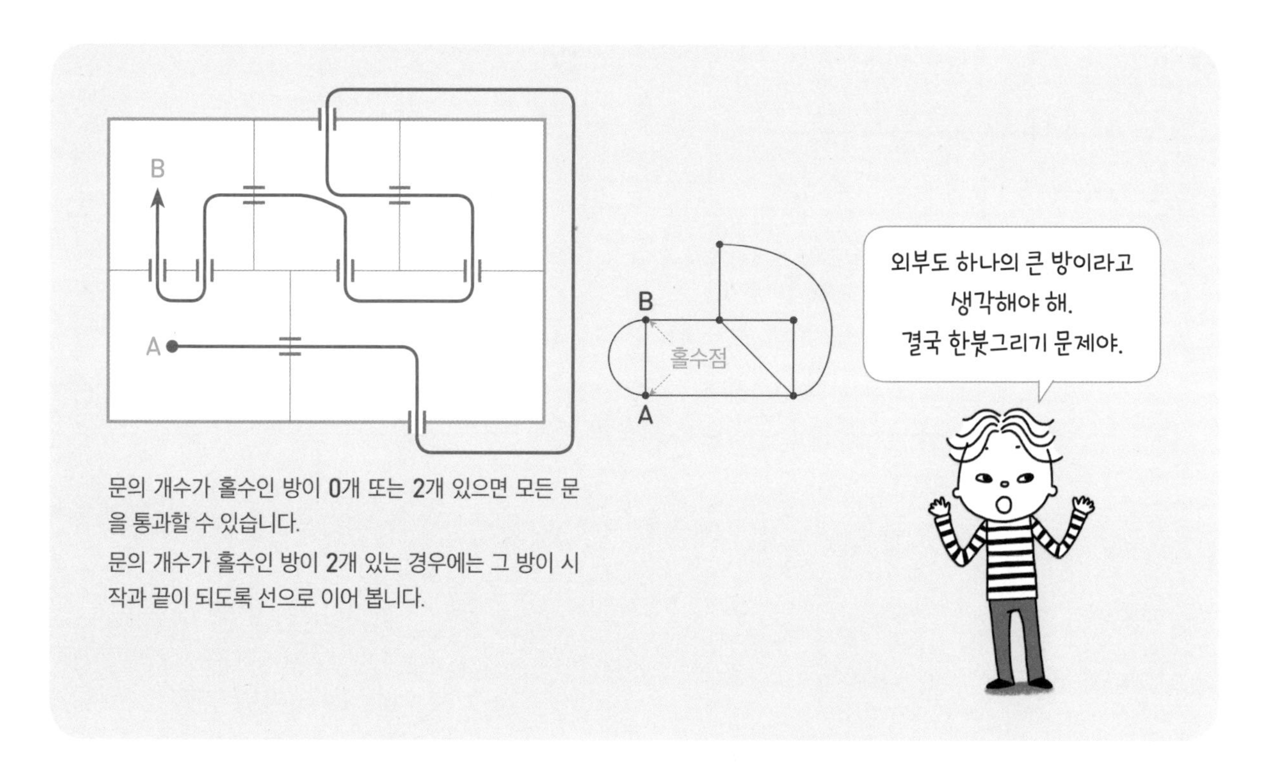

B
A
B
홀수점
A
외부도 하나의 큰 방이라고
생각해야 해.
결국 한붓그리기 문제야.

문의 개수가 홀수인 방이 0개 또는 2개 있으면 모든 문을 통과할 수 있습니다.
문의 개수가 홀수인 방이 2개 있는 경우에는 그 방이 시작과 끝이 되도록 선으로 이어 봅니다.

❶

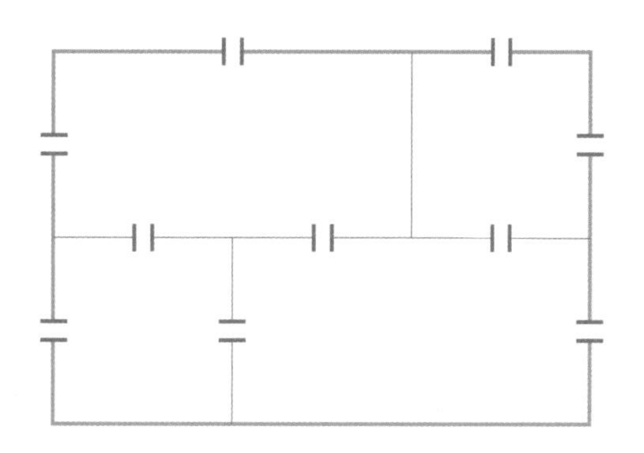

❷

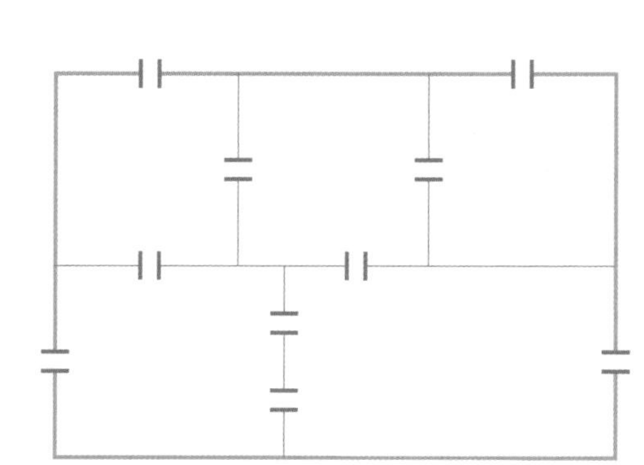

❸

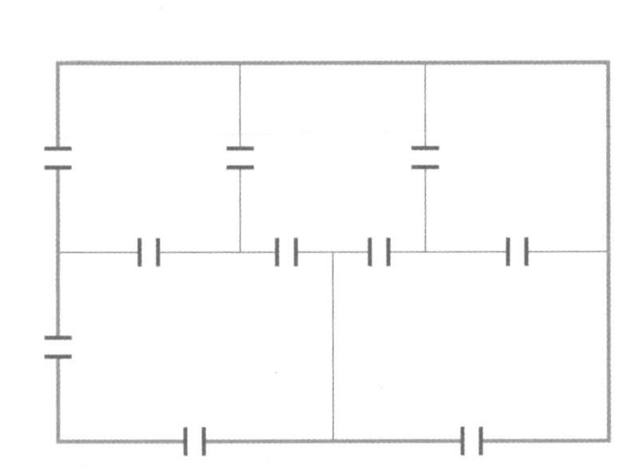

❹

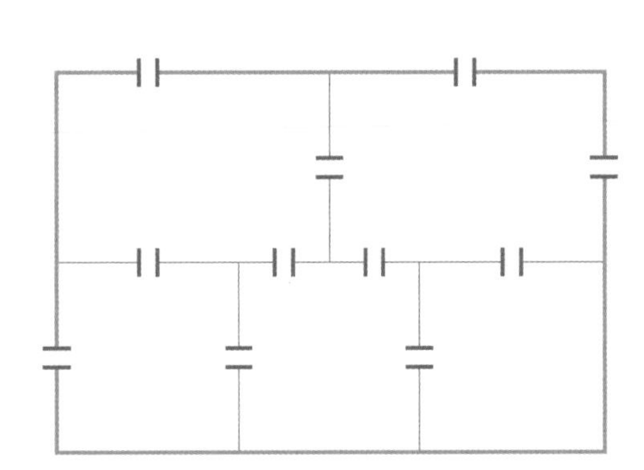

❺

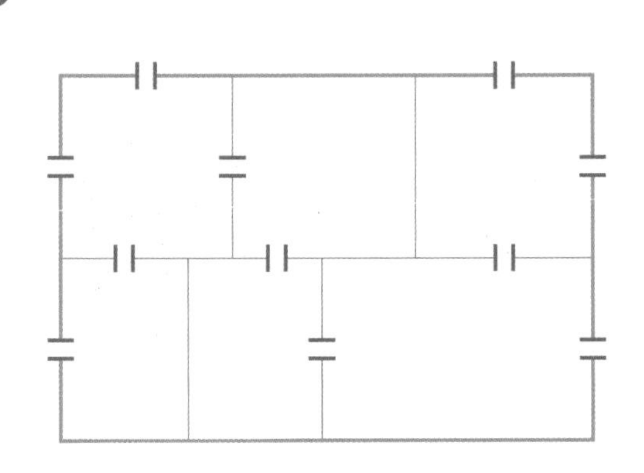

❻

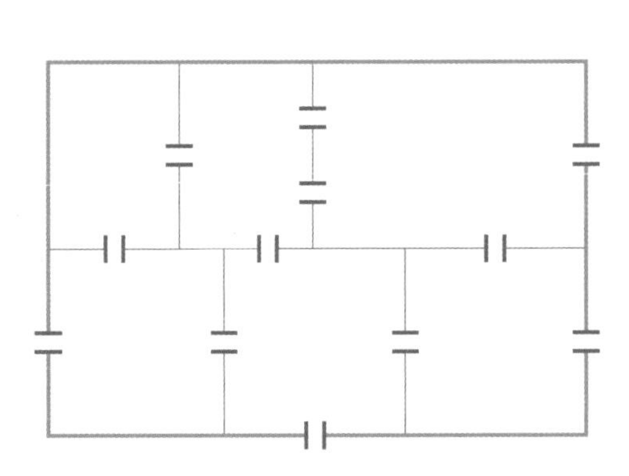

쾨니히스베르크의 다리

쾨니히스베르크의 다리 문제는 독일의 옛 도시 쾨니히스베르크에 있는 7개의 다리에 대한 문제입니다.

이 도시에는 그림과 같이 강이 있고, 두 개의 큰 섬이 있습니다.
그리고 이 섬들과 육지를 연결하는 7개의 다리가 있습니다.
다리를 지나는 사람들은 다음과 같은 생각을 하였다고 합니다.
"7개의 다리를 한 번씩만 지나서 모든 다리를 건널 수 있을까?"
이 문제를 쾨니히스베르크의 다리 문제라고 합니다.

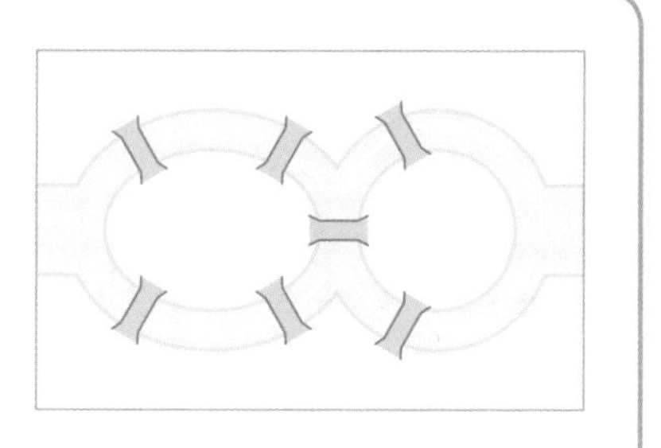

육지와 섬은 점으로, 다리는 선으로 나타내 보세요.

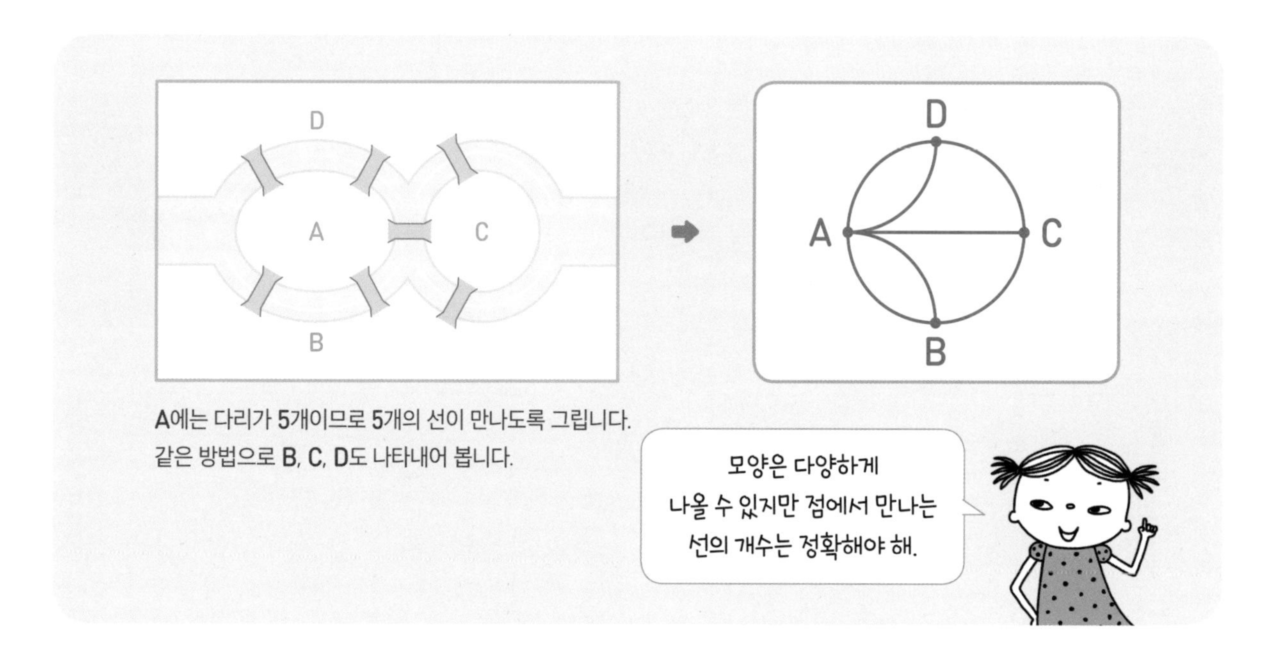

D
A
C
B
D
A
C
B
A에는 다리가 5개이므로 5개의 선이 만나도록 그립니다.
같은 방법으로 B, C, D도 나타내어 봅니다.
모양은 다양하게
나올 수 있지만 점에서 만나는
선의 개수는 정확해야 해.

❶

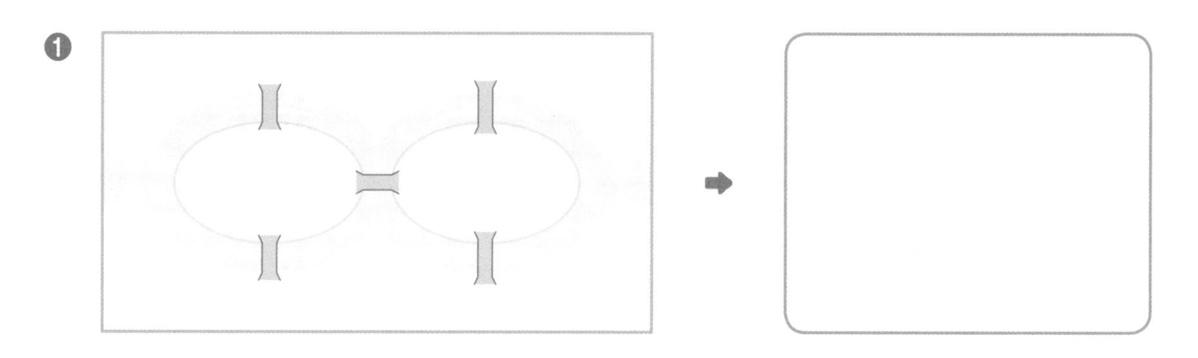

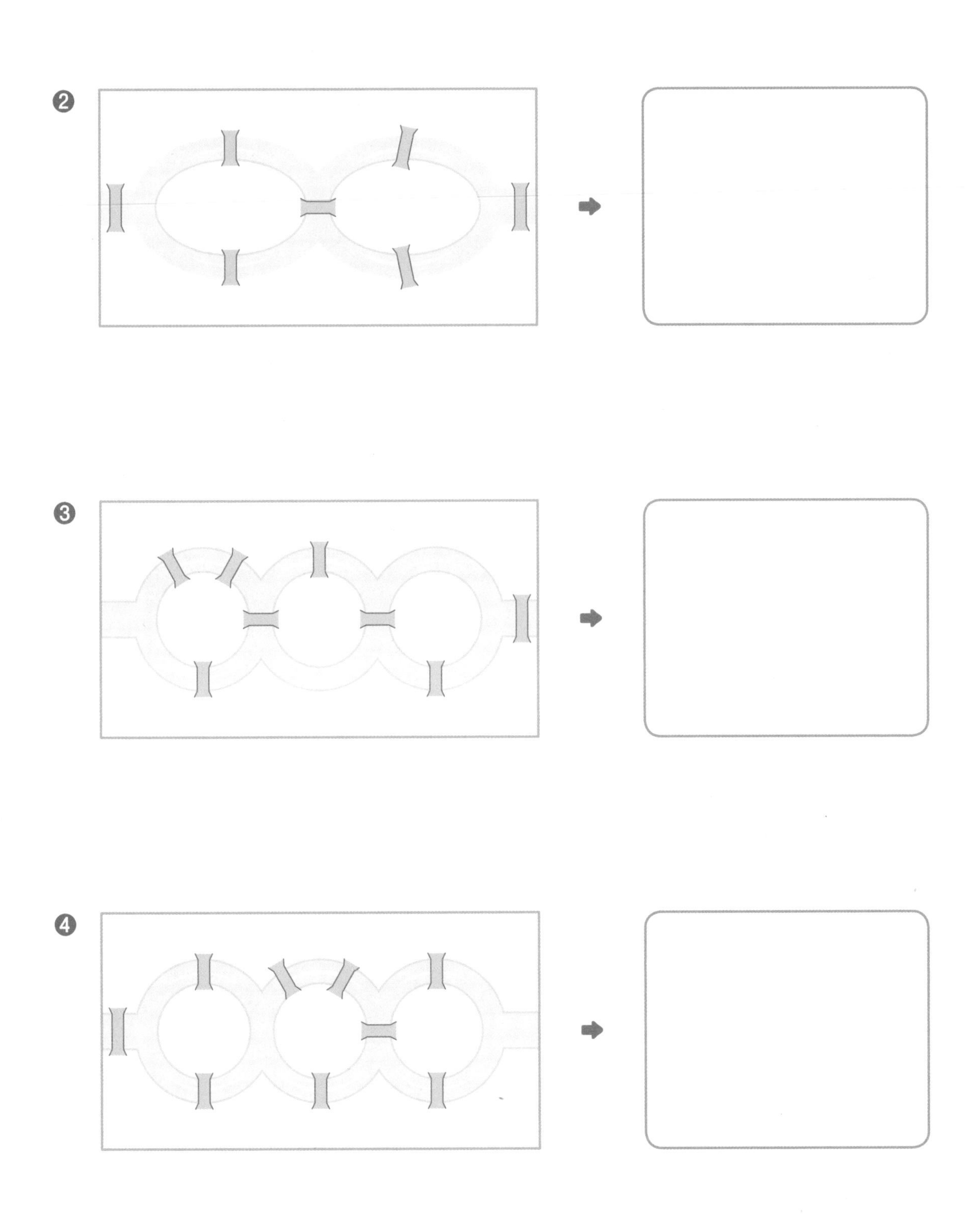

DAY 5 다리 건너기

다리를 한 번씩만 지나 모든 다리를 건널 수 있는 경로를 그려 보세요.

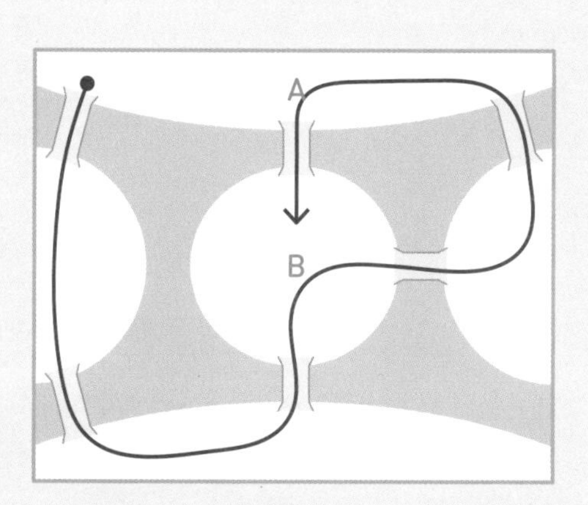

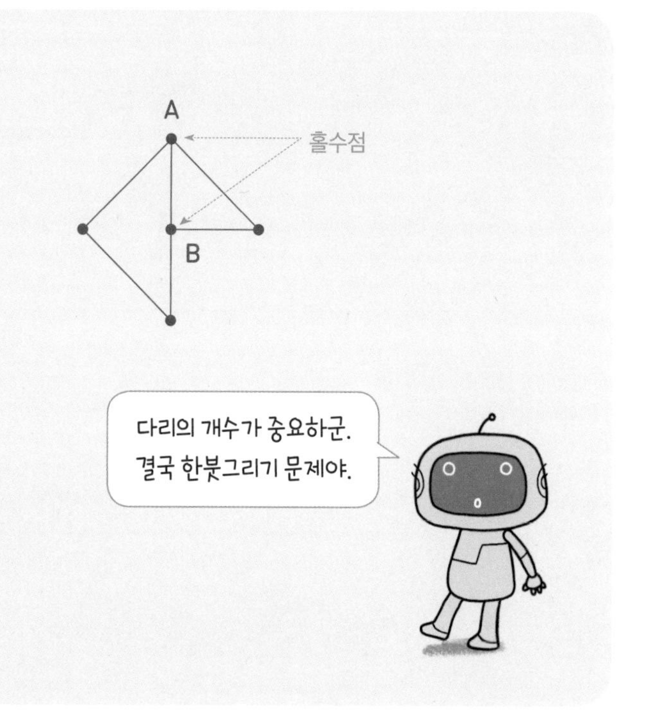

A
홀수점
B
다리의 개수가 중요하군.
결국 한붓그리기 문제야.

다리의 개수가 홀수인 지역이 0개 또는 2개 있으면
모든 다리를 통과할 수 있습니다.
다리의 개수가 홀수인 지역이 2개 있는 경우에는
그 지역이 시작과 끝이 되도록 선으로 이어 봅니다.

❶

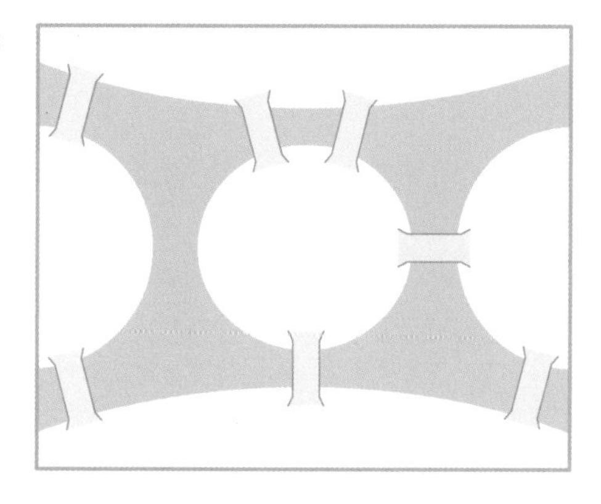

❷

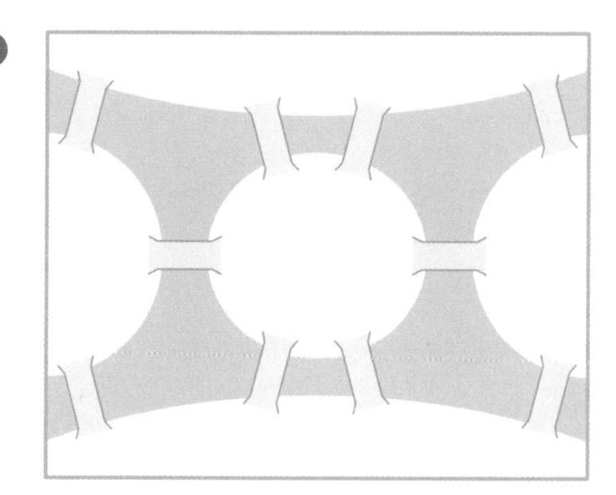

❸

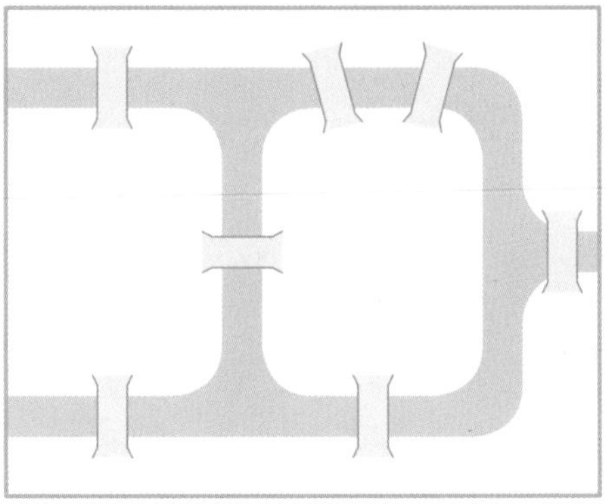

❹

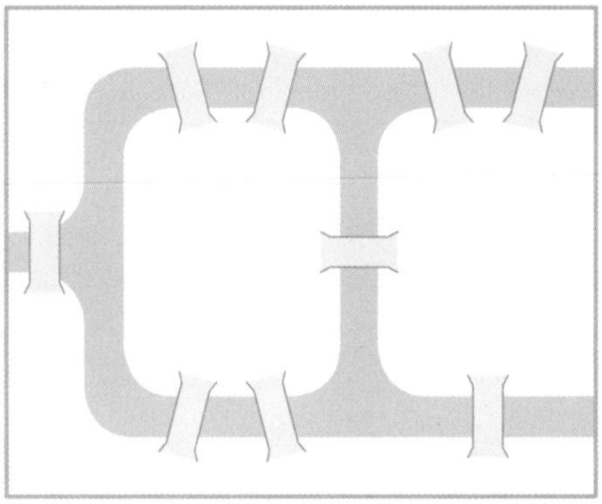

❺

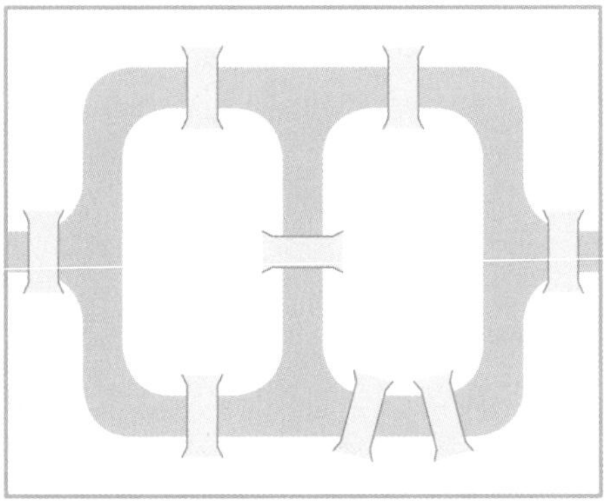

❻

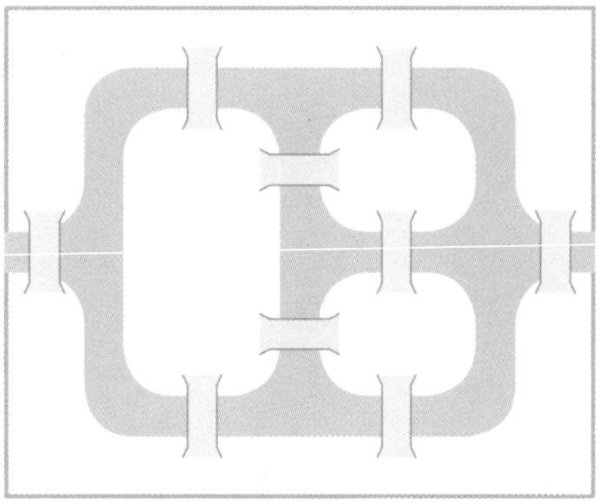

확인학습

문을 한 번씩만 지나 모든 문을 통과할 수 있는 경로를 그려 보세요.

❶

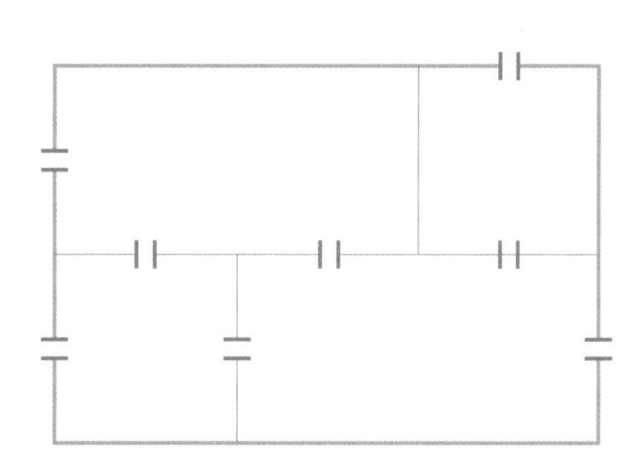

❷

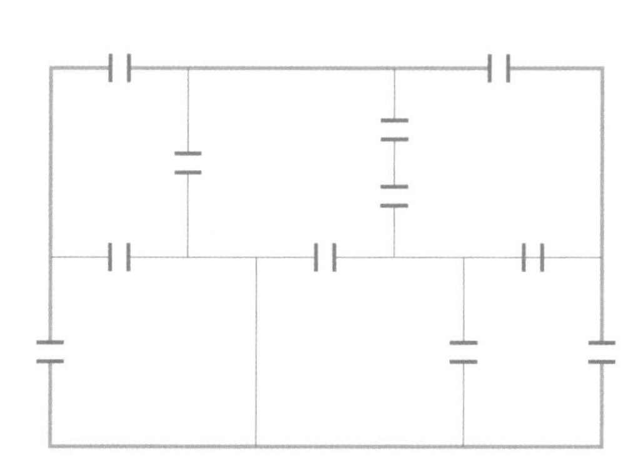

다리를 한 번씩만 지나 모든 다리를 건널 수 있는 경로를 그려 보세요.

❸

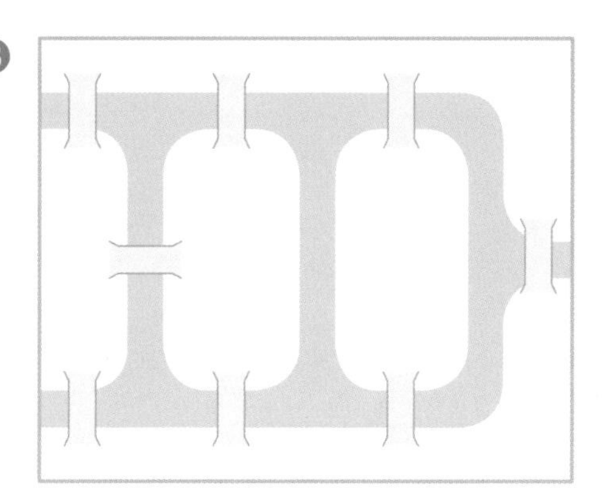

❹

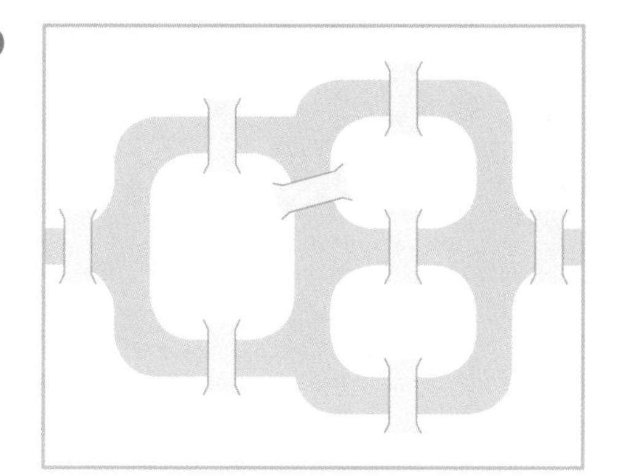

2
주차

최단 거리의 수

DAY 1

최단 거리의 수

다음과 같은 방법을 이용하여 **가**에서 **나**까지 가는 최단 거리의 수를 구해 보세요.

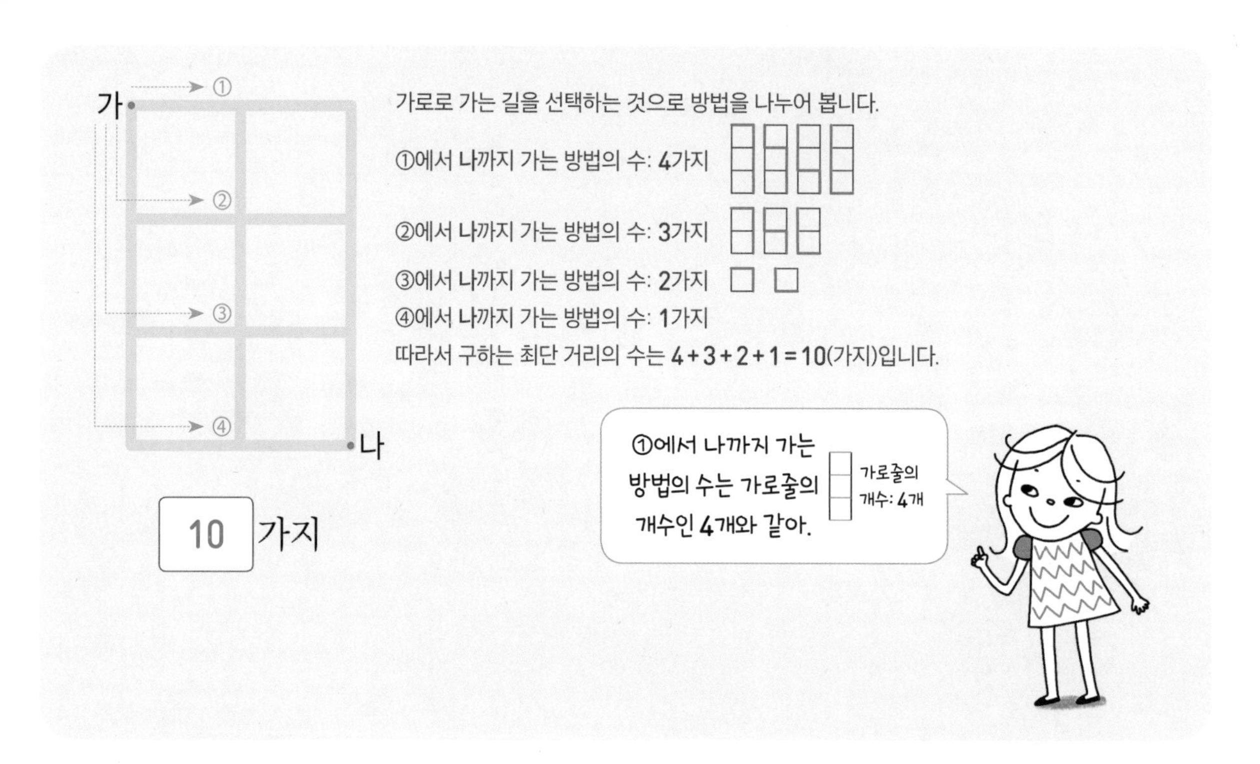
가
①
②
③
④
나
가로로 가는 길을 선택하는 것으로 방법을 나누어 봅니다.
①에서 나까지 가는 방법의 수: 4가지
②에서 나까지 가는 방법의 수: 3가지
③에서 나까지 가는 방법의 수: 2가지
④에서 나까지 가는 방법의 수: 1가지
따라서 구하는 최단 거리의 수는 4+3+2+1=10(가지)입니다.
10 가지
①에서 나까지 가는 방법의 수는 가로줄의 개수인 4개와 같아.
가로줄의 개수: 4개

❶ 가

나

가지

❷

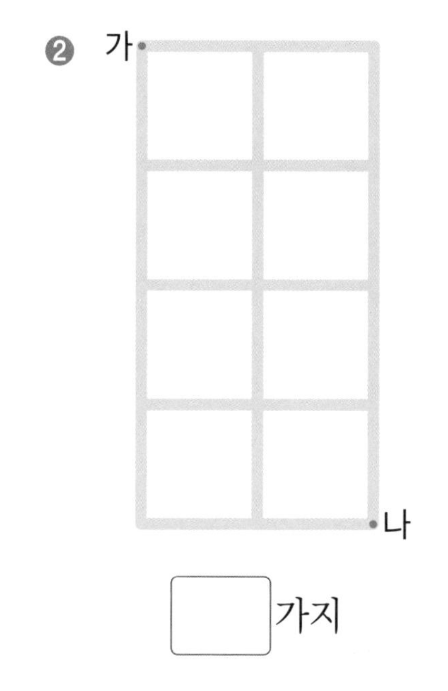
가
나
가지

❸ 

☐가지

❹ 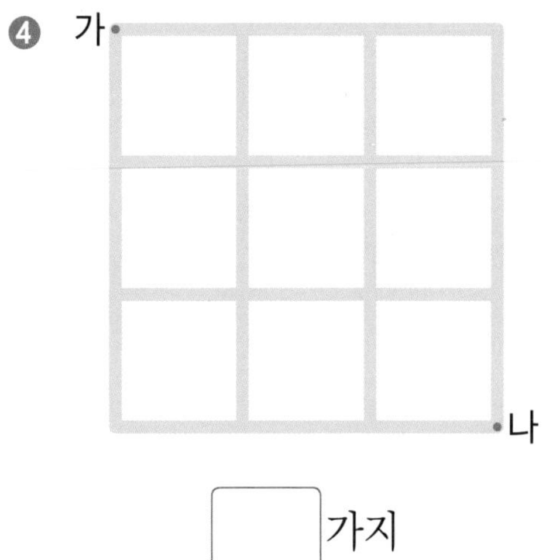

☐가지

❺ 

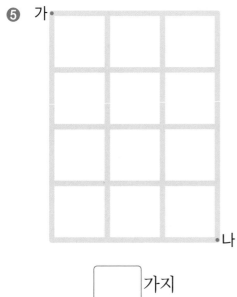

☐가지

DAY 2 들렀다 가기

다음과 같은 방법을 이용하여 가에서 나를 지나 다까지 가는 최단 거리의 수를 구해 보세요.

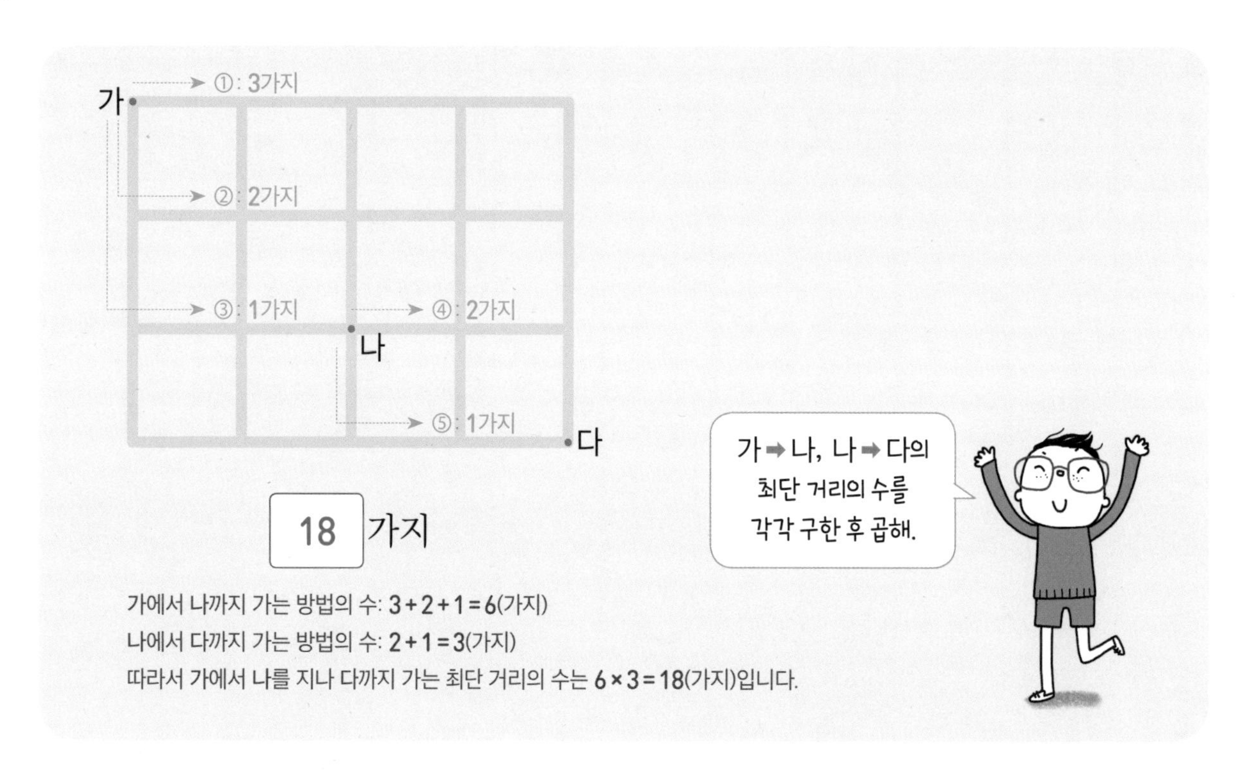

가에서 나까지 가는 방법의 수: 3 + 2 + 1 = 6(가지)
나에서 다까지 가는 방법의 수: 2 + 1 = 3(가지)
따라서 가에서 나를 지나 다까지 가는 최단 거리의 수는 6 × 3 = 18(가지)입니다.

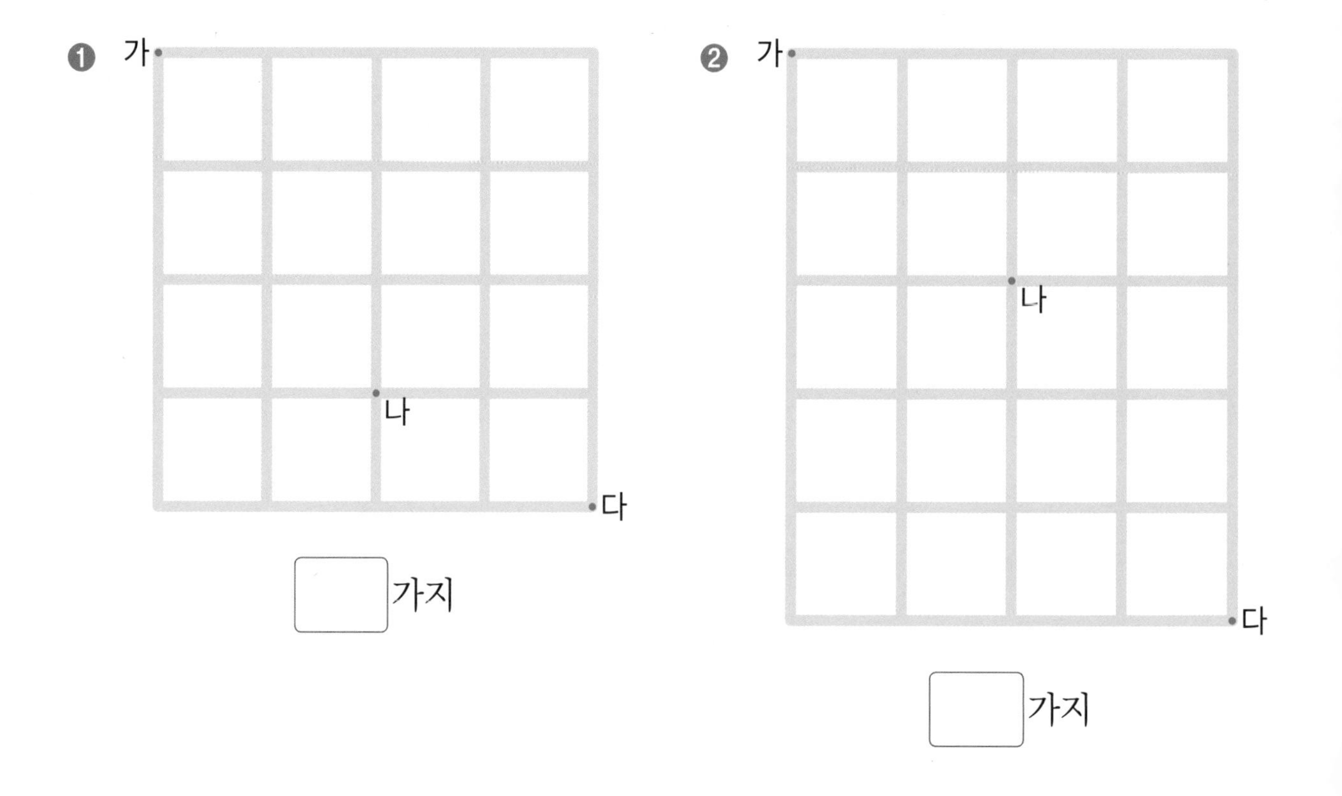

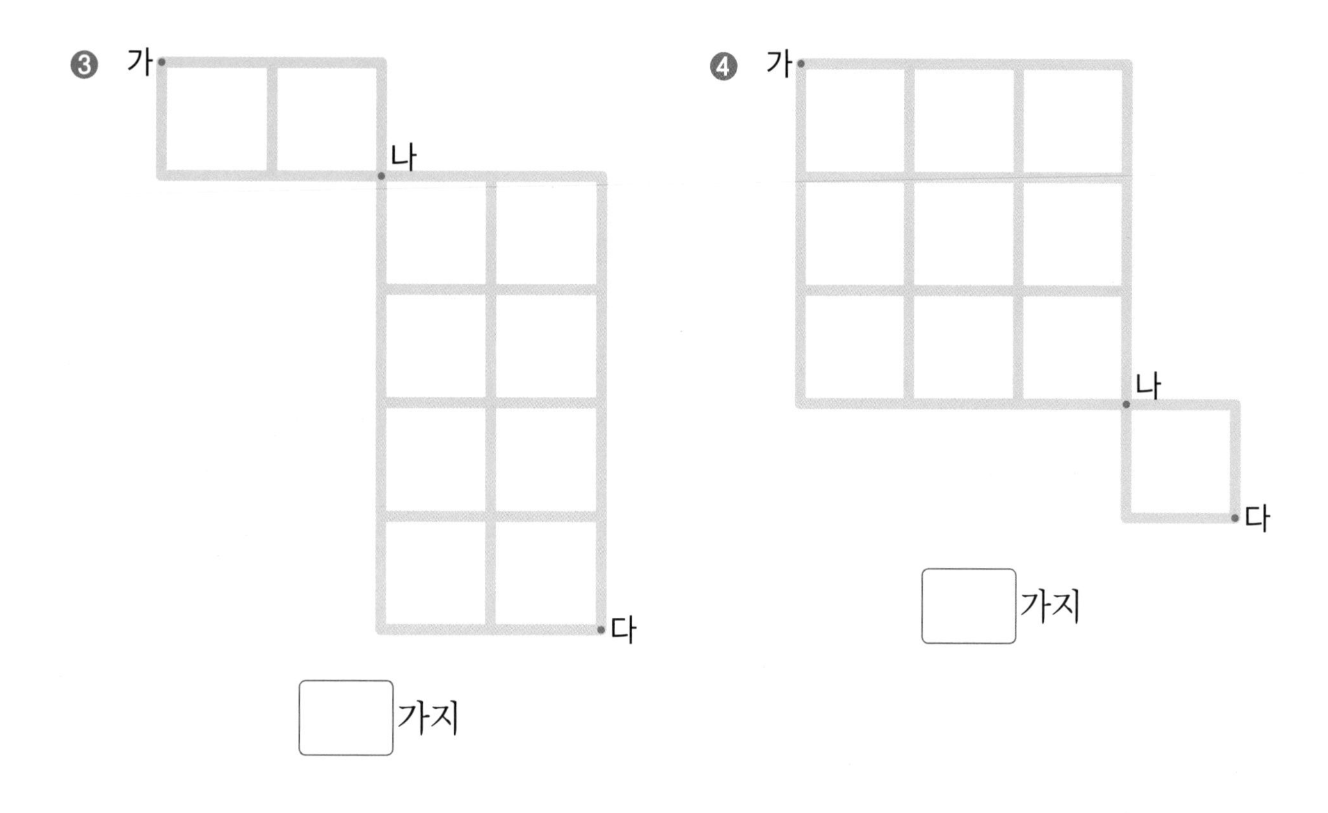
③ 가
나
다
가지
④ 가
나
다
가지

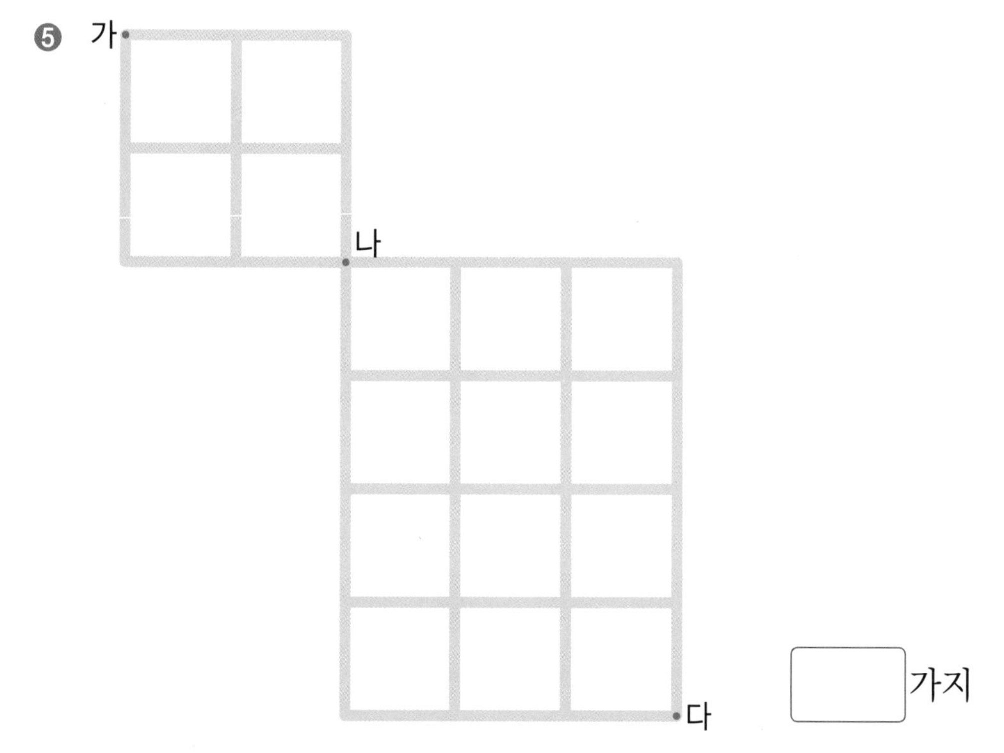
⑤ 가
나
다
가지

DAY 3 지름길

다음과 같은 방법을 이용하여 가에서 나까지 가는 최단 거리의 수를 구해 보세요.

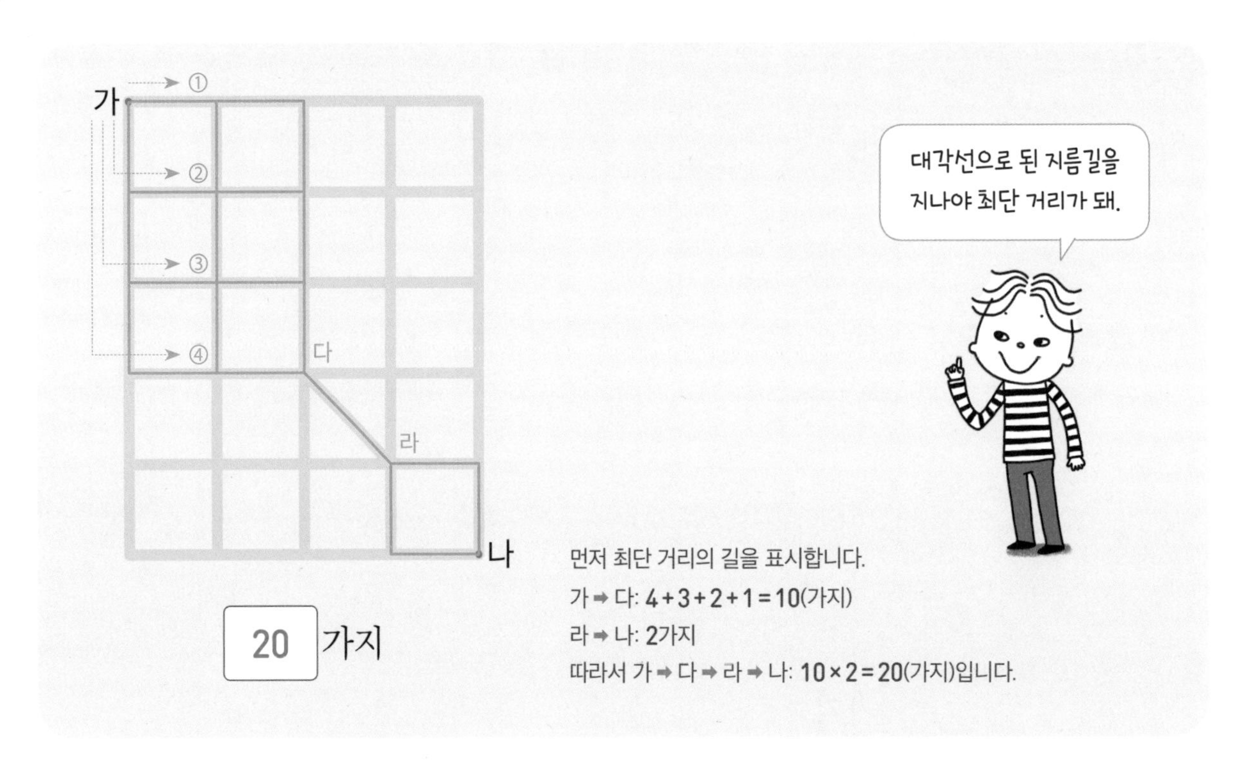

가
①
②
③
④
다
라
나
20 가지
대각선으로 된 지름길을
지나야 최단 거리가 돼.
먼저 최단 거리의 길을 표시합니다.
가 ➡ 다: 4+3+2+1=10(가지)
라 ➡ 나: 2가지
따라서 가 ➡ 다 ➡ 라 ➡ 나: 10×2=20(가지)입니다.

❶
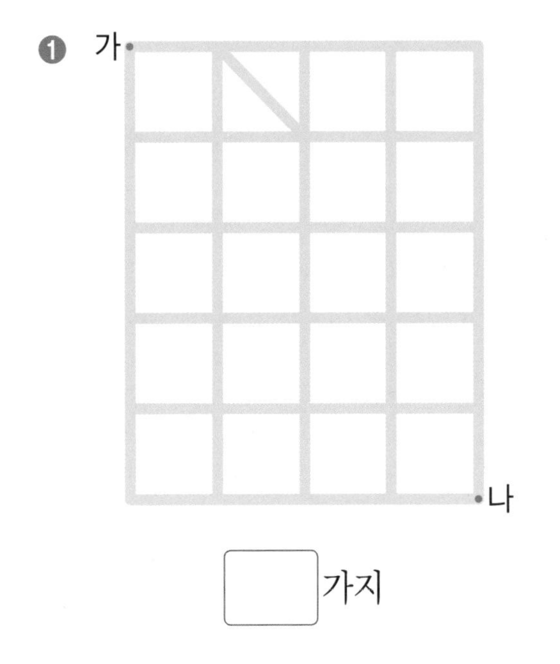

☐ 가지

❷
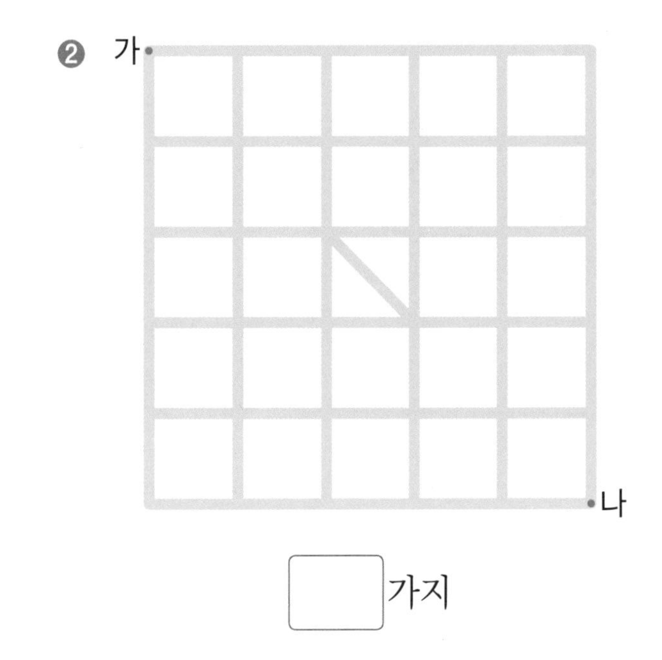

☐ 가지

❸

☐가지

❹

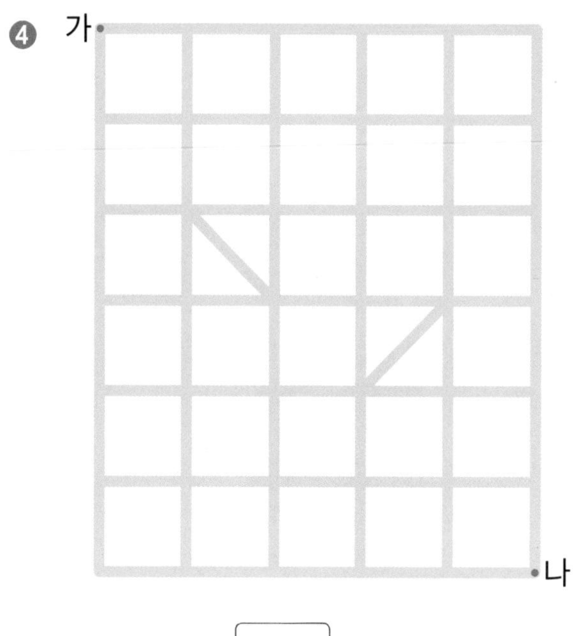

☐가지

❺

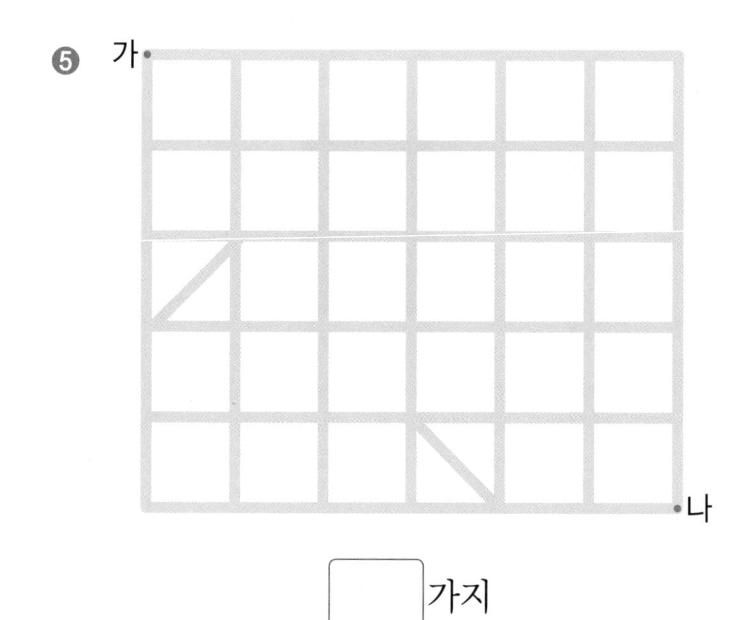

☐가지

갈 수 없는 길

다음과 같은 방법을 이용하여 **가**에서 **나**까지 가는 최단 거리의 수를 구해 보세요. 길이 막힌 곳은 갈 수 없습니다.

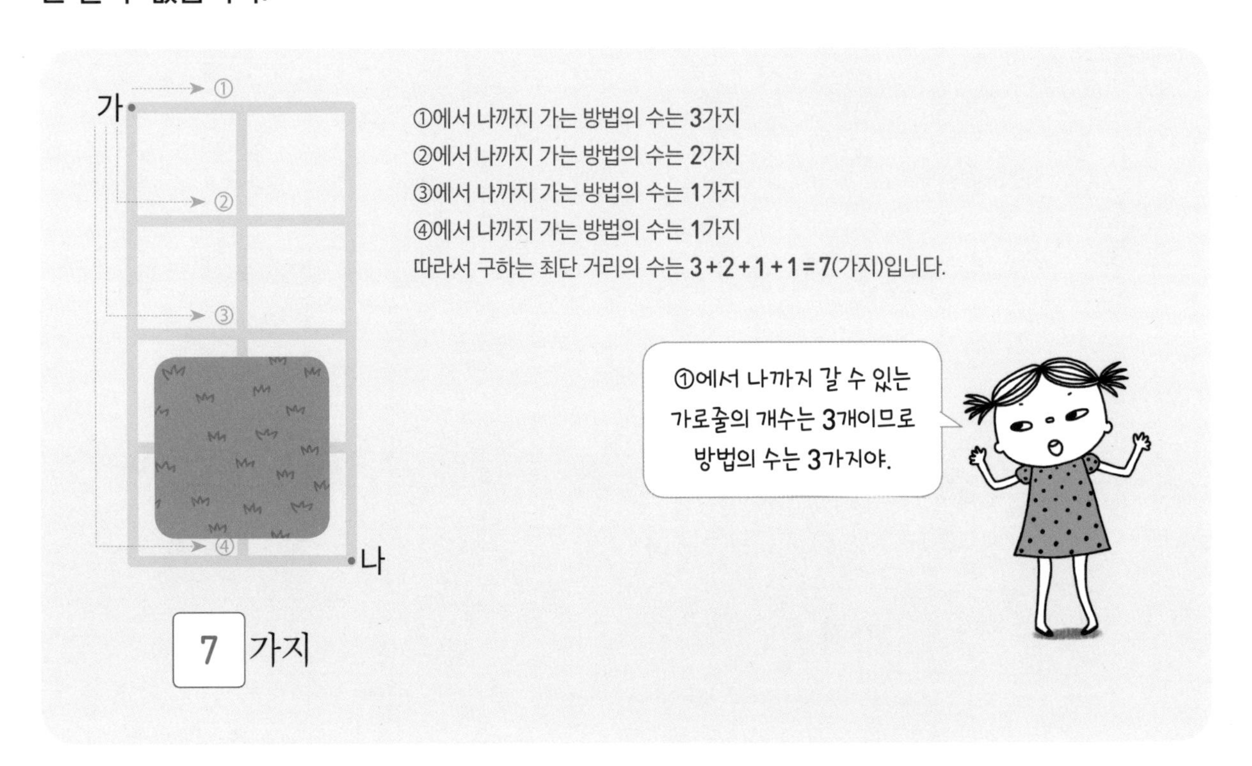

가
①
②
③
④
나
①에서 나까지 가는 방법의 수는 3가지
②에서 나까지 가는 방법의 수는 2가지
③에서 나까지 가는 방법의 수는 1가지
④에서 나까지 가는 방법의 수는 1가지
따라서 구하는 최단 거리의 수는 3+2+1+1=7(가지)입니다.
①에서 나까지 갈 수 있는 가로줄의 개수는 3개이므로 방법의 수는 3가지야.
7 가지

❶

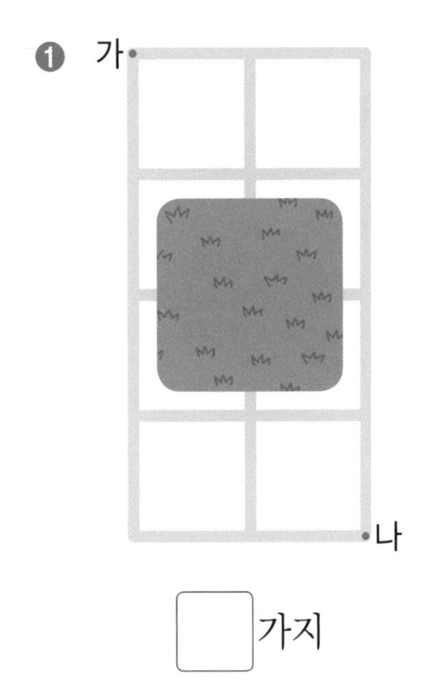

[ ] 가지

❷

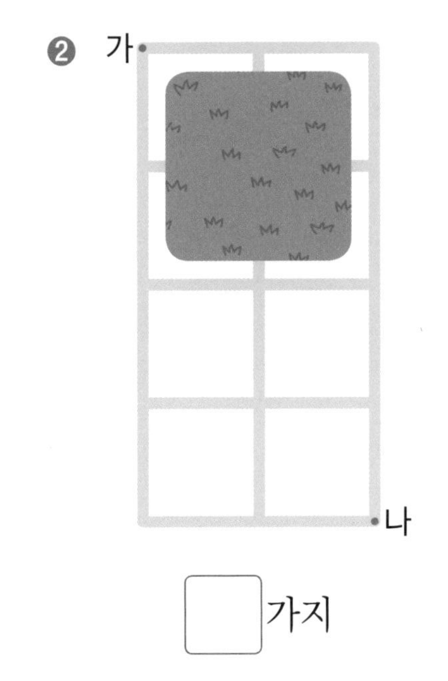

[ ] 가지

❸

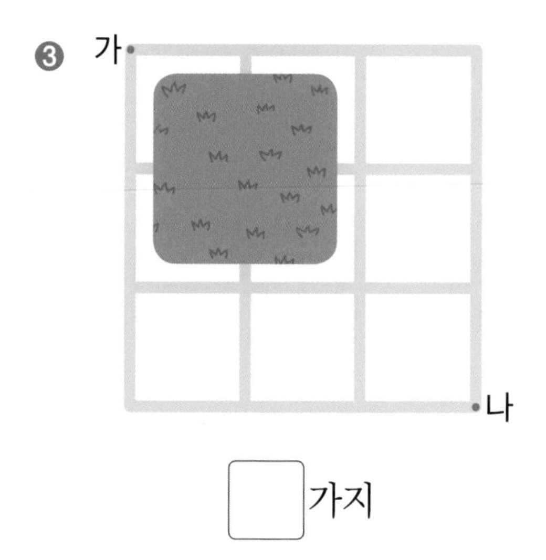

☐가지

❹

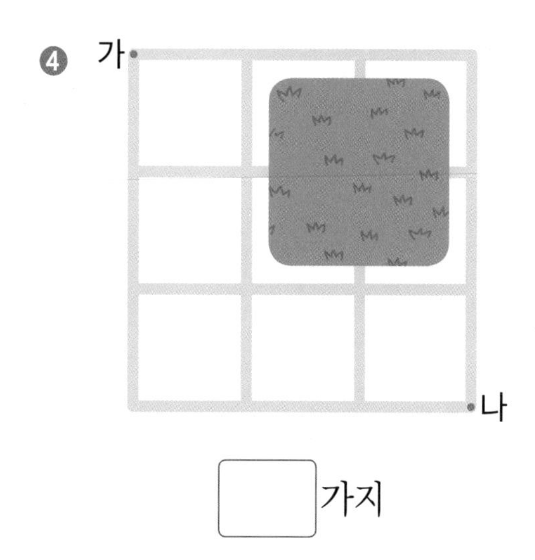

☐가지

❺

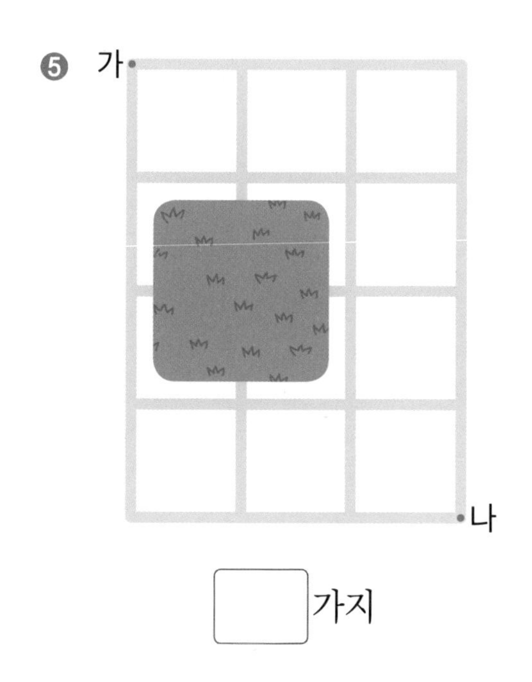

☐가지

❻

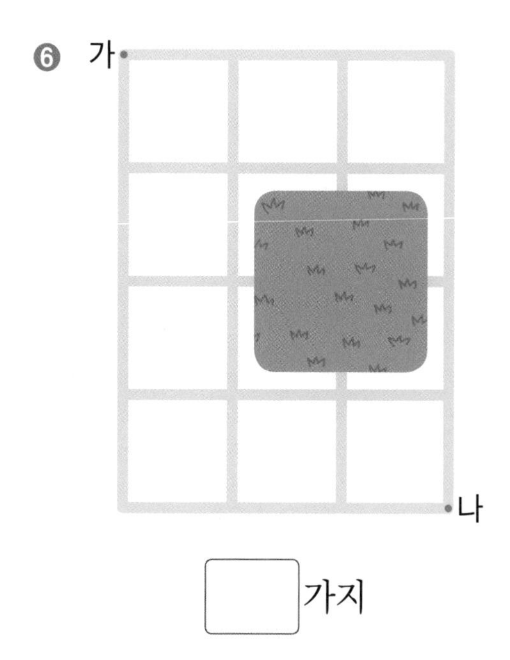

☐가지

정육면체 최단 거리

가에서 나까지 가는 최단 거리의 수를 구하려고 합니다. □ 안에 모이는 길의 수를 써넣은 후 최단 거리의 수를 구해 보세요.

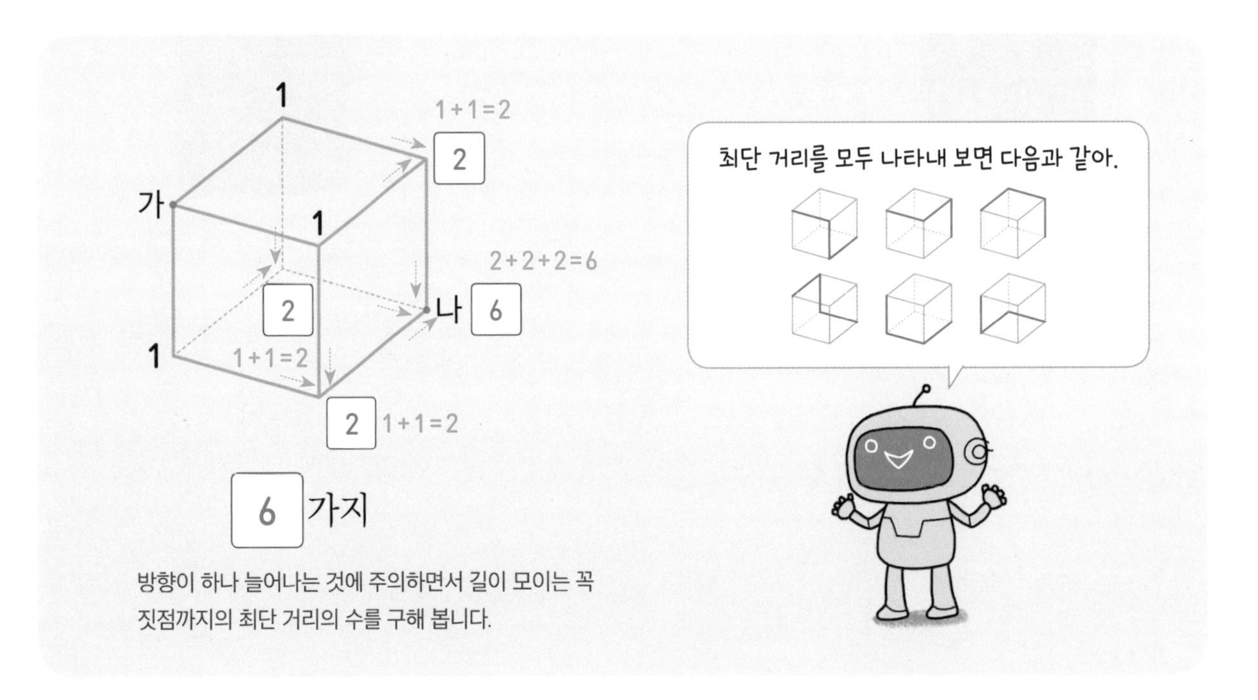

방향이 하나 늘어나는 것에 주의하면서 길이 모이는 꼭짓점까지의 최단 거리의 수를 구해 봅니다.

❶

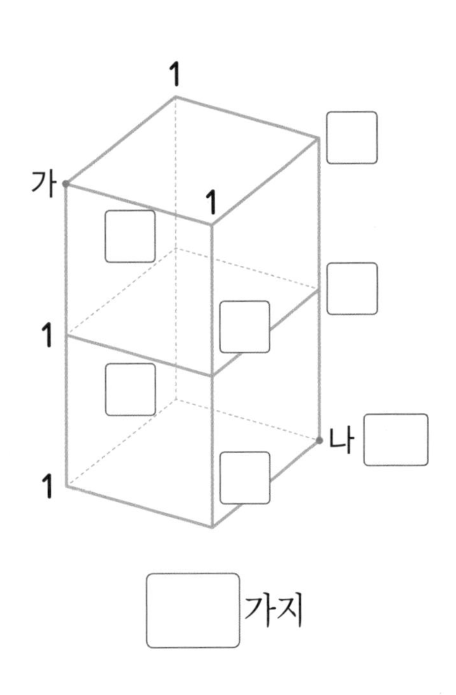

□가지

❷

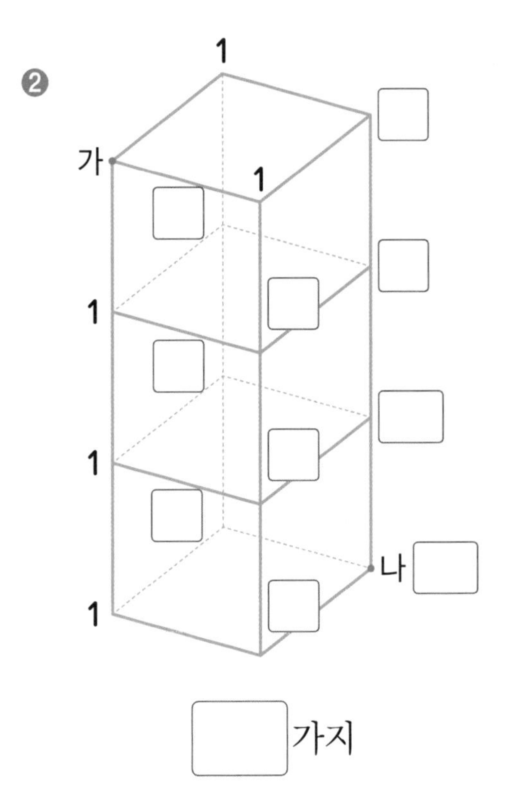

□가지

가에서 나를 지나 다까지 가는 최단 거리의 수를 구해 보세요.

❸

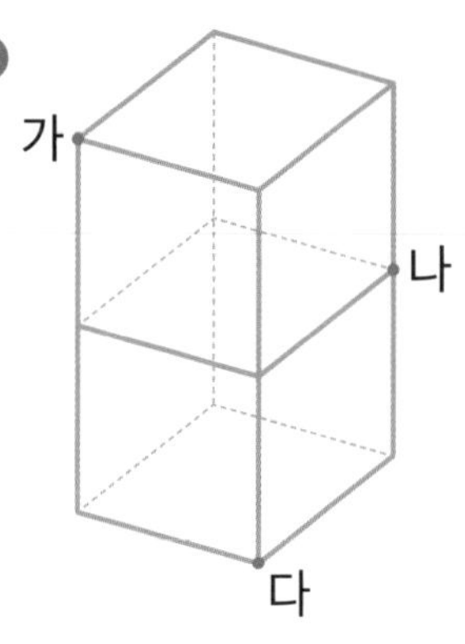

☐가지

❹

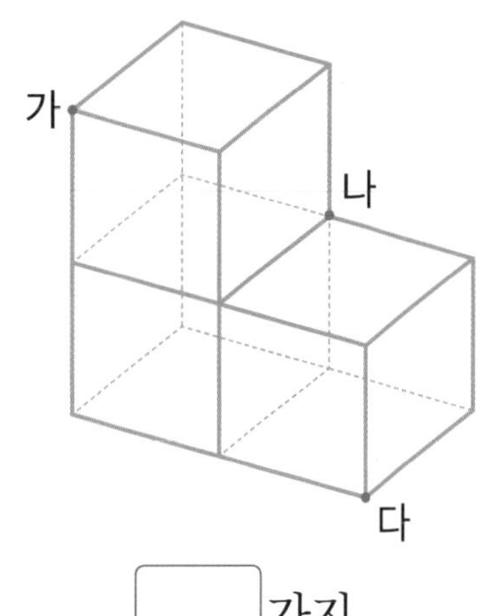

☐가지

❺

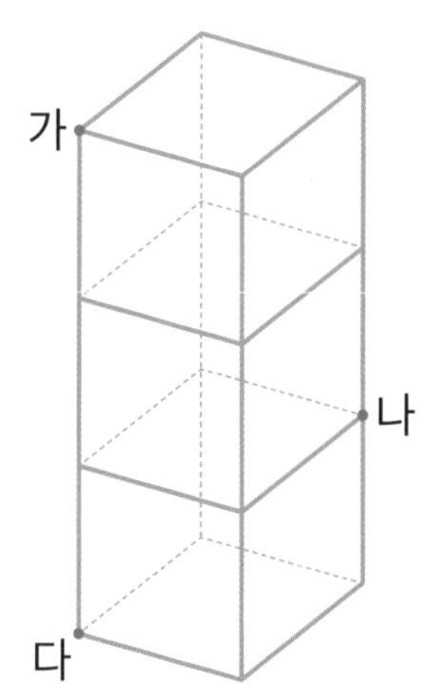

☐가지

확인학습

가에서 나까지 가는 최단 거리의 수를 구해 보세요. 길이 막힌 곳은 갈 수 없습니다.

❶ 가 나

☐가지

❷ 가 나

☐가지

가에서 나를 지나 다까지 가는 최단 거리의 수를 구해 보세요.

❸

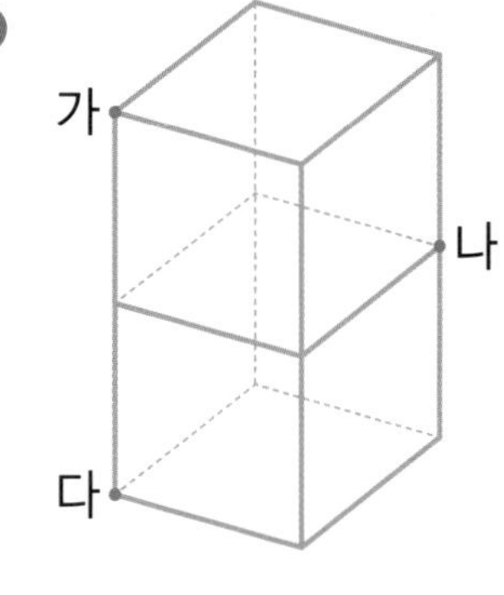

☐가지

❹

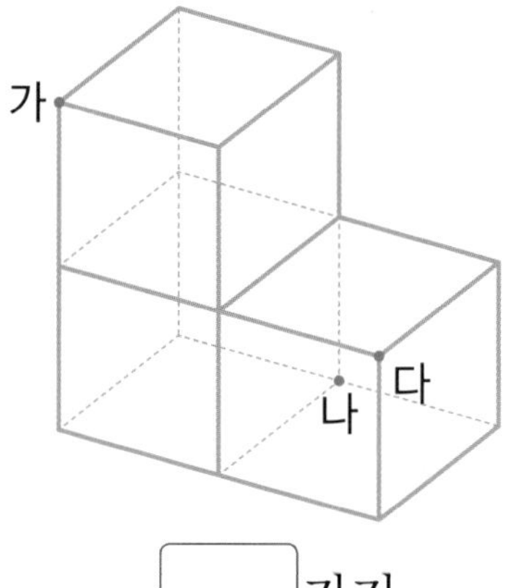

☐가지

3
주차

합의 가짓수

DAY 1

합이 되는 수 (1)

주어진 수를 이용하여 합이 되는 수를 모두 만들어 보세요. 수를 모두 사용할 필요는 없지만 같은 수를 여러 번 사용할 수 없습니다.

1, 2, 5

1, 2, 3, 5, 6, 7, 8

더하는 수의 개수	합이 되는 수
1개	1, 2, 5
2개	1+2=3, 1+5=6, 2+5=7
3개	1+2+5=8

수를 1개, 2개, 3개 사용하여 합을 만들어 봐.

❶ 1, 4, 7

❷ 1, 2, 3

❸

2, 4, 6

❹

1, 5, 7

❺

1, 2, 3, 4

❻

1, 3, 5, 7

합이 되는 수 (2)

다음과 같은 과녁에 화살을 3번 쏘아 모두 맞혔습니다. 맞힌 점수의 합이 되는 수를 모두 구해 보세요.

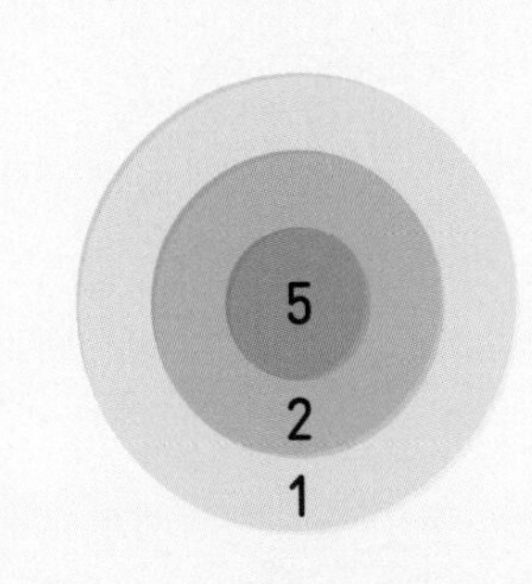
5
2
1

3, 4, 5, 6, 7, 8, 9, 11, 12, 15

1+1+1=3
1+1+2=4
1+1+5=7
1+2+2=5
1+2+5=8
1+5+5=11
2+2+2=6
2+2+5=9
2+5+5=12
5+5+5=15

1, 2, 5 중에서 수를 3개
선택한 후 합이 되는 수를 구해.
같은 수를 여러 번 뽑아도 돼.

❶

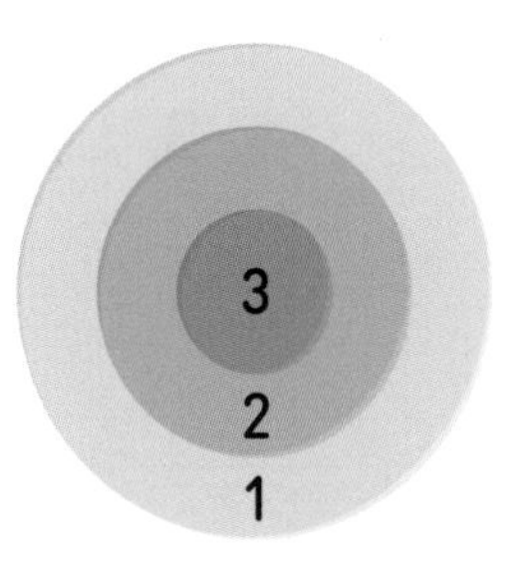
3
2
1

❷

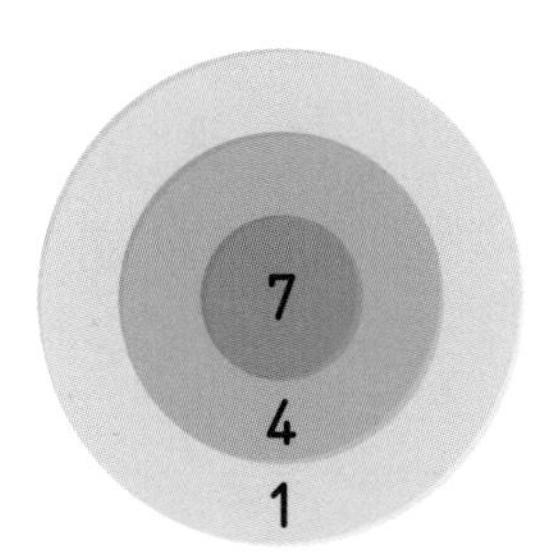
7
4
1

❸

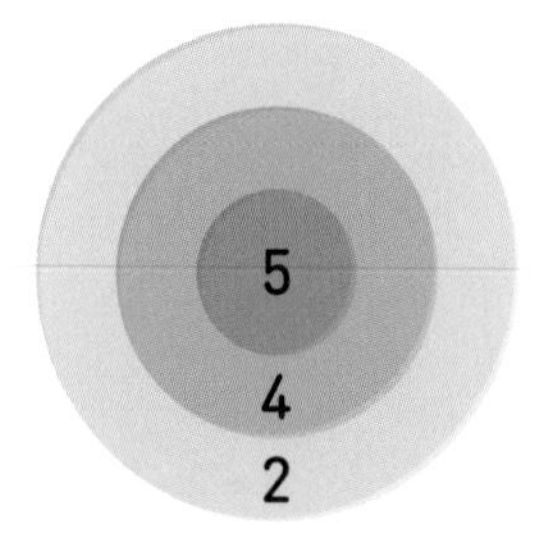

❹

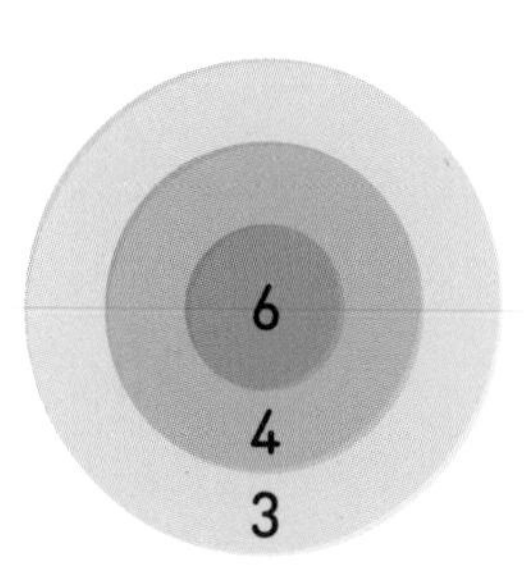

❺

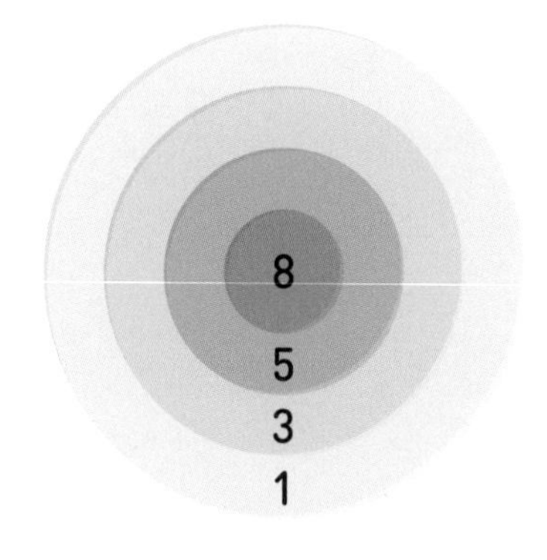

합의 가짓수 (1)

서로 다른 세 수의 합이 다음 수가 되는 경우는 몇 가지인지 구해 보세요. 순서만 바뀐 것은 한 가지로 생각합니다.

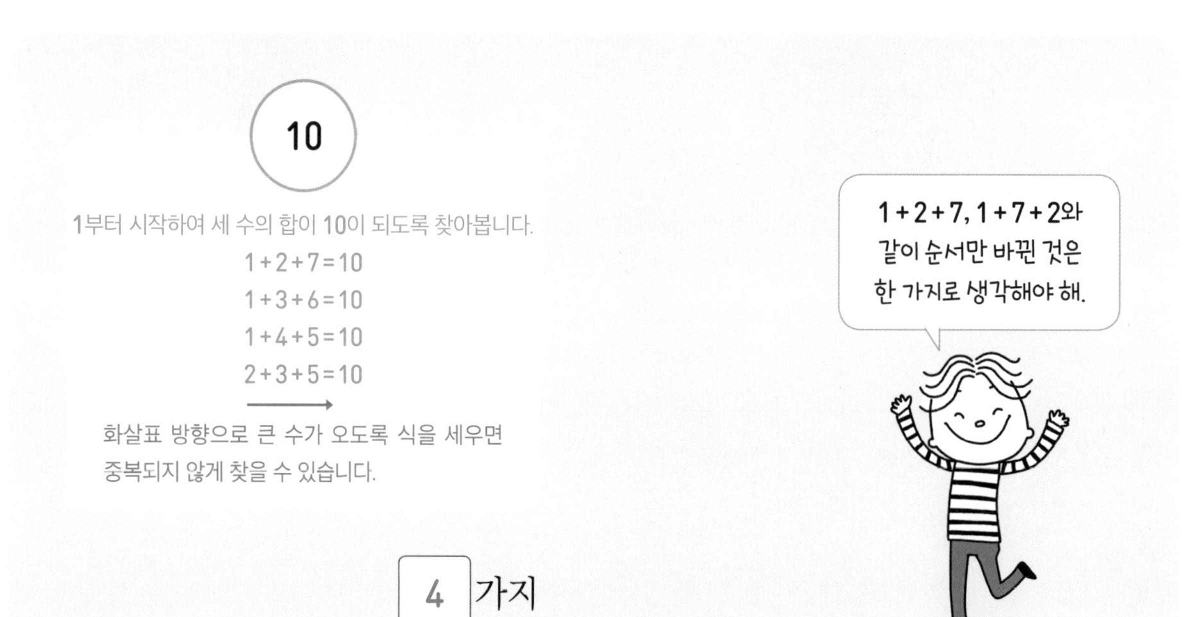

10
1부터 시작하여 세 수의 합이 10이 되도록 찾아봅니다.
1+2+7=10
1+3+6=10
1+4+5=10
2+3+5=10
화살표 방향으로 큰 수가 오도록 식을 세우면
중복되지 않게 찾을 수 있습니다.
4 가지
1+2+7, 1+7+2와
같이 순서만 바뀐 것은
한 가지로 생각해야 해.

❶ 8

가지

❷ 9

가지

❸ 11

가지

❹ 12

가지

❺ 13

가지

❻ 14

가지

합의 가짓수 (2)

세 수의 합이 다음 수가 되는 경우는 몇 가지인지 구해 보세요. 같은 수를 여러 번 더해도 되고, 순서만 바뀐 것은 한 가지로 생각합니다.

10
1부터 시작하여 세 수의 합이 10이 되도록 찾아봅니다.
1+1+8=10
1+2+7=10
1+3+6=10
1+4+5=10
2+2+6=10
2+3+5=10
2+4+4=10
3+3+4=10
화살표 방향으로 크거나 같은 수가 오도록 식을 세우면 중복되지 않게 찾을 수 있습니다.
8 가지
앞 문제와 차이점은 1+1+8과 같이 같은 수를 여러 번 더해도 된다는 것.

❶ 6

☐ 가지

❷ 7

☐ 가지

❸ 8

□가지

❹ 9

□가지

❺ 11

□가지

❻ 12

□가지

목표 점수의 가짓수

다음과 같은 과녁에 화살을 4번 쏘아 모두 맞혔습니다. ◯ 안의 수만큼 점수를 얻는 방법의 수를 구해 보세요.

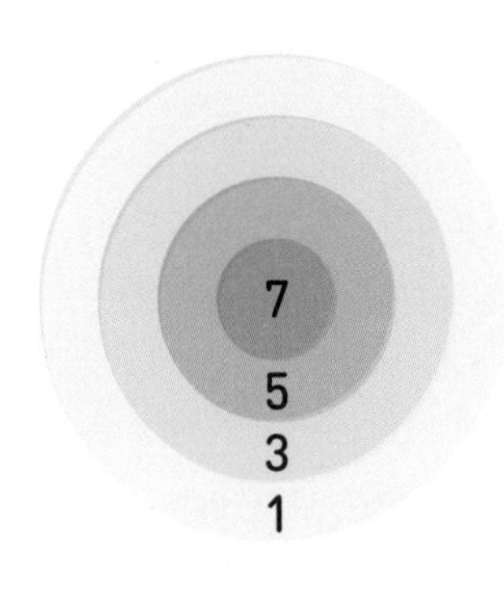

10

1부터 시작하여 네 수의 합이 10이 되도록 찾아봅니다.

1+1+1+7=10
1+1+3+5=10
1+3+3+3=10

3 가지

더하는 수를 찾을 때, 경우를 빠뜨리지 않도록 주의해.

❶ 14

가지

❷ 16

가지

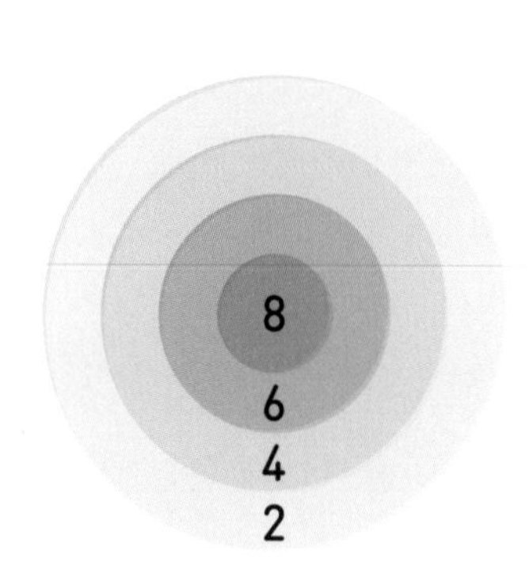

❸ 14

가지

❹ 18

가지

❺ 20

가지

❻ 28

가지

확인학습

세 수의 합이 다음 수가 되는 경우는 몇 가지인지 구해 보세요. 같은 수를 여러 번 더해도 되고, 순서만 바뀐 것은 한 가지로 생각합니다.

❶ 13

☐가지

❷ 15

☐가지

오른쪽과 같은 과녁에 화살을 4번 쏘아 모두 맞혔습니다. ○ 안의 수만큼 점수를 얻는 방법의 수를 구해 보세요.

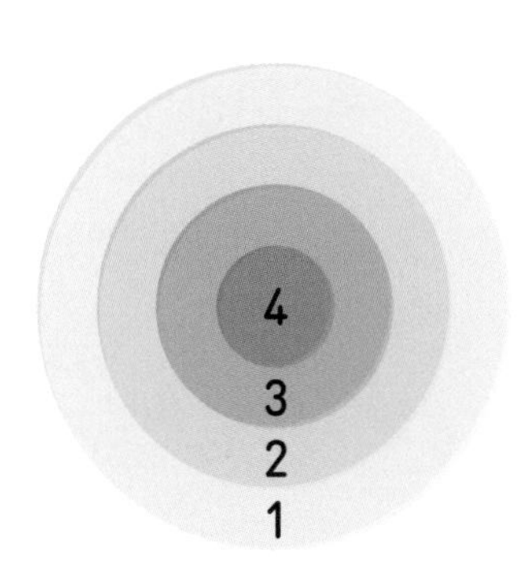

❸ 10

☐가지

❹ 11

☐가지

4
주차

측정하는 방법의 수

DAY 1 막대로 잴 수 있는 길이 (1)

주어진 막대를 이용하여 다음 길이를 재는 그림을 그려 보세요.

2 cm	3 cm	8 cm

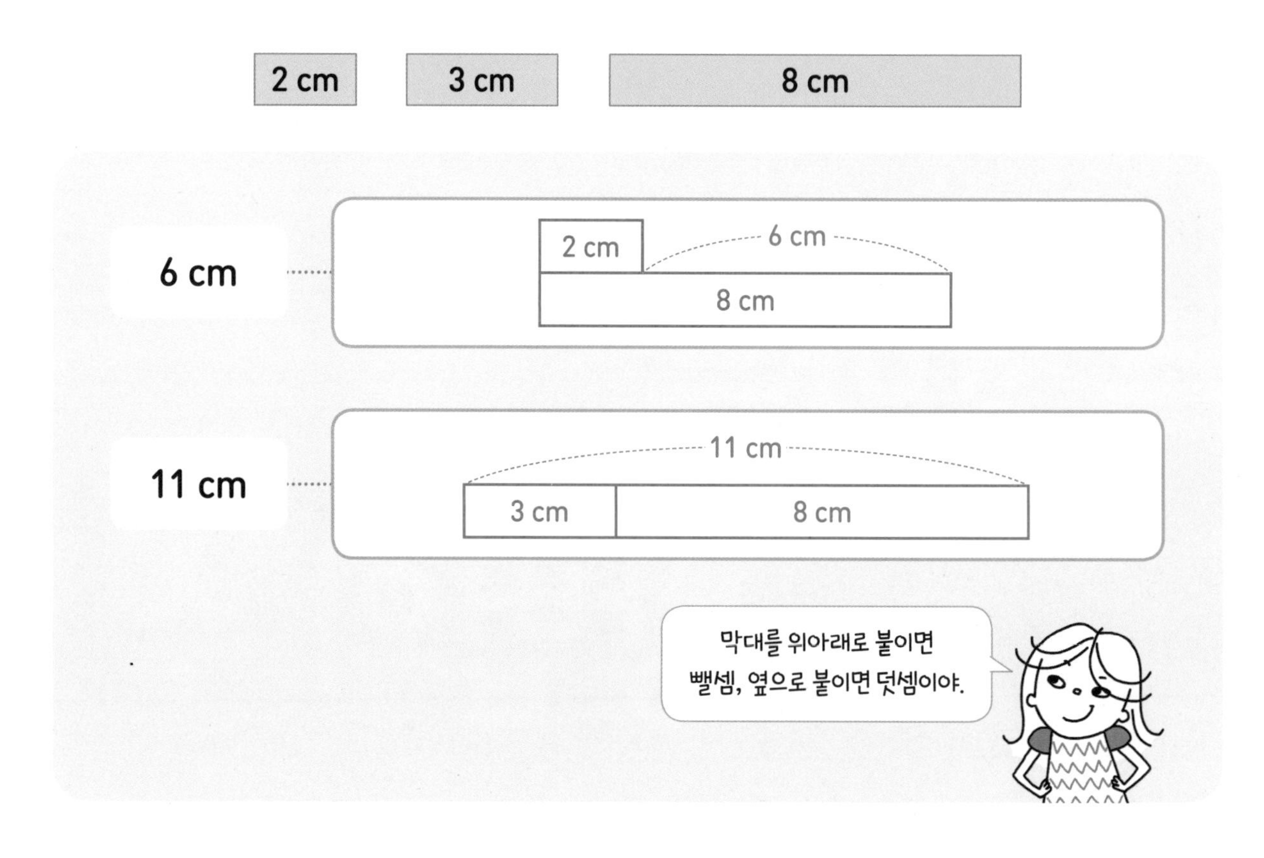

❶ 10 cm

❷ 7 cm

1 cm | 5 cm | 8 cm

❸ 2 cm

❹ 4 cm

❺ 7 cm

❻ 9 cm

❼ 12 cm

❽ 14 cm

DAY 2 막대로 잴 수 있는 길이 (2)

막대가 다음과 같이 있습니다. 이 막대를 이용하여 잴 수 있는 길이는 모두 몇 가지인지 표를 이용하여 구해 보세요.

2 cm　5 cm

잴 수 있는 길이	방법	잴 수 있는 길이	방법
1 cm	×	5 cm	5
2 cm	2	6 cm	×
3 cm	5−2	7 cm	5+2
4 cm	×		

잴 수 있는 길이는 2 cm, 3 cm, 5 cm, 7 cm입니다.

4 가지

+, −를 이용하여 표를 완성해.

❶ 1 cm　2 cm　4 cm

잴 수 있는 길이	방법	잴 수 있는 길이	방법
1 cm		5 cm	
2 cm		6 cm	
3 cm		7 cm	
4 cm			

☐ 가지

❷ 2 cm　2 cm　5 cm

잴 수 있는 길이	방법	잴 수 있는 길이	방법
1 cm		6 cm	
2 cm		7 cm	
3 cm		8 cm	
4 cm		9 cm	
5 cm			

☐ 가지

❸

1 cm　3 cm

6 cm

잴 수 있는 길이	방법	잴 수 있는 길이	방법
1 cm		6 cm	
2 cm		7 cm	
3 cm		8 cm	
4 cm		9 cm	
5 cm		10 cm	

☐가지

❹

3 cm　4 cm

9 cm

잴 수 있는 길이	방법	잴 수 있는 길이	방법
1 cm		9 cm	
2 cm		10 cm	
3 cm		11 cm	
4 cm		12 cm	
5 cm		13 cm	
6 cm		14 cm	
7 cm		15 cm	
8 cm		16 cm	

☐가지

❺

2 cm　6 cm　11 cm

잴 수 있는 길이	방법	잴 수 있는 길이	방법	잴 수 있는 길이	방법
1 cm		8 cm		14 cm	
2 cm		9 cm		15 cm	
3 cm		10 cm		16 cm	
4 cm		11 cm		17 cm	
5 cm		12 cm		18 cm	
6 cm		13 cm		19 cm	
7 cm					

☐가지

연결자로 잴 수 있는 길이

다음 도구는 3가지 길이의 철사가 이어져 있고 연결 부위는 자유롭게 움직일 수 있는 연결자입니다. 이 연결자를 이용하여 잴 수 있는 길이는 모두 몇 가지인지 표를 이용하여 구해 보세요.

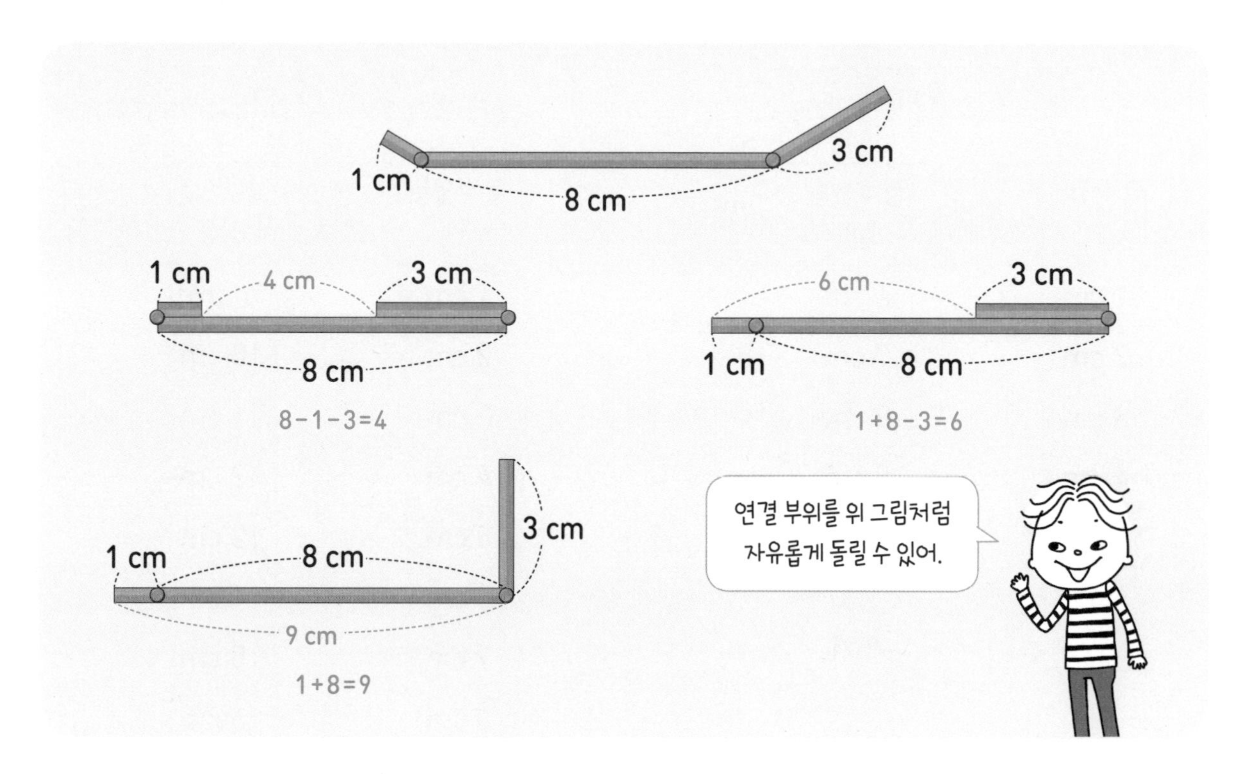

❶

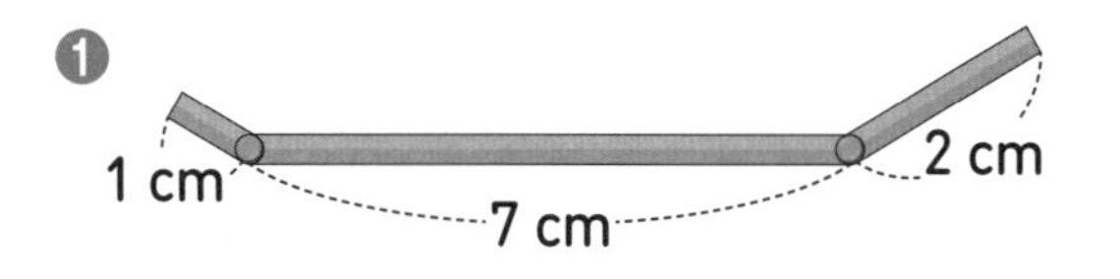

잴 수 있는 길이	방법	잴 수 있는 길이	방법
1 cm		6 cm	
2 cm		7 cm	
3 cm		8 cm	
4 cm		9 cm	
5 cm		10 cm	

□가지

❷

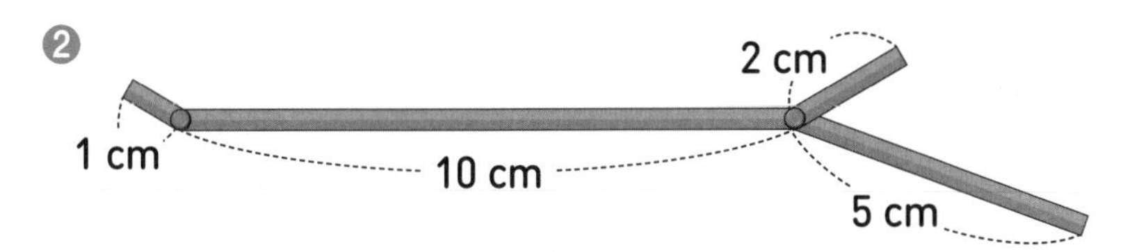

잴 수 있는 길이	방법	잴 수 있는 길이	방법	잴 수 있는 길이	방법
1 cm		7 cm		12 cm	
2 cm		8 cm		13 cm	
3 cm		9 cm		14 cm	
4 cm		10 cm		15 cm	
5 cm		11 cm		16 cm	
6 cm					

☐ 가지

❸

3 cm
2 cm
15 cm
6 cm

잴 수 있는 길이	방법	잴 수 있는 길이	방법	잴 수 있는 길이	방법
1 cm		9 cm		17 cm	
2 cm		10 cm		18 cm	
3 cm		11 cm		19 cm	
4 cm		12 cm		20 cm	
5 cm		13 cm		21 cm	
6 cm		14 cm		22 cm	
7 cm		15 cm		23 cm	
8 cm		16 cm		24 cm	

☐ 가지

DAY 4 잴 수 있는 무게 (1)

오른쪽 그림과 같이 무게를 잴 수 있는 양팔저울이 있습니다. 다음 여러 가지 무게의 추를 양팔저울의 오른쪽에, 물건은 왼쪽에 올려서 무게를 잴 때, 잴 수 있는 무게는 모두 몇 가지인지 구해 보세요.

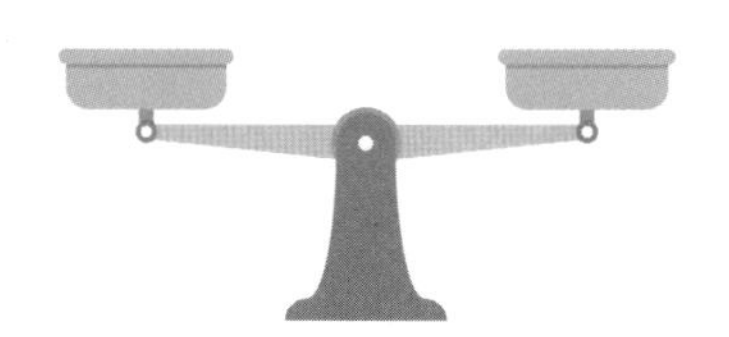

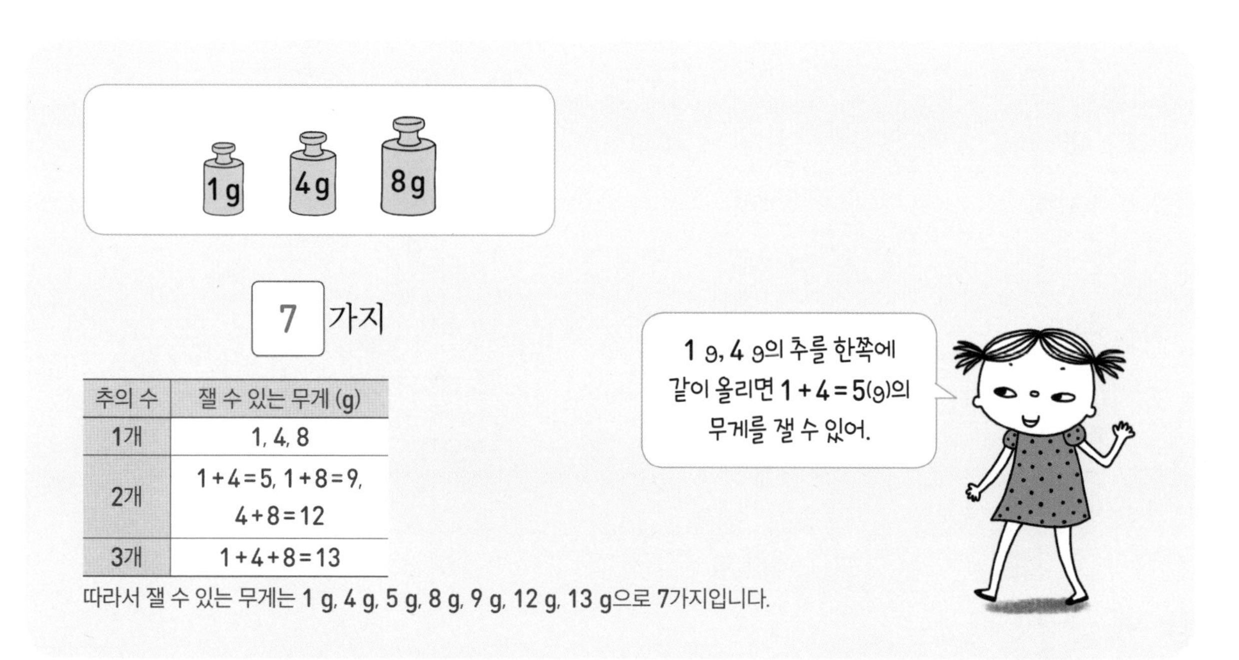

추의 수	잴 수 있는 무게 (g)
1개	1, 4, 8
2개	1+4=5, 1+8=9, 4+8=12
3개	1+4+8=13

따라서 잴 수 있는 무게는 1 g, 4 g, 5 g, 8 g, 9 g, 12 g, 13 g으로 7가지입니다.

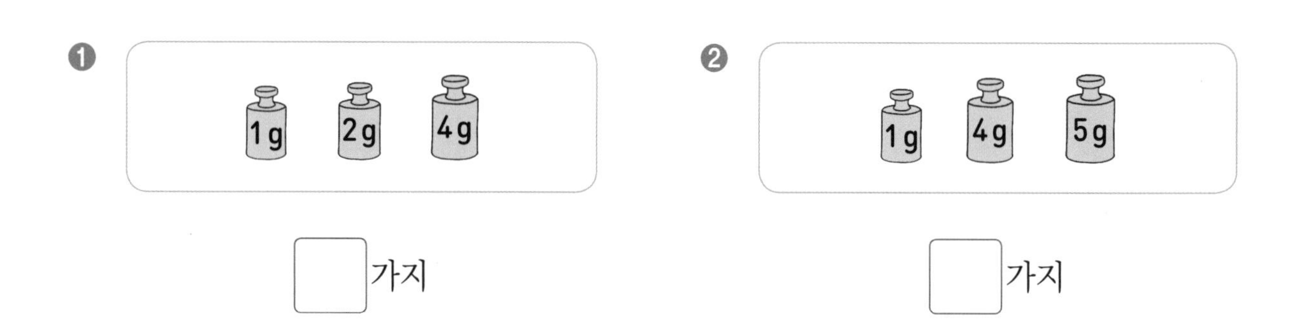

❸
2g
2g
5g
가지
❹
1g
4g
4g
가지

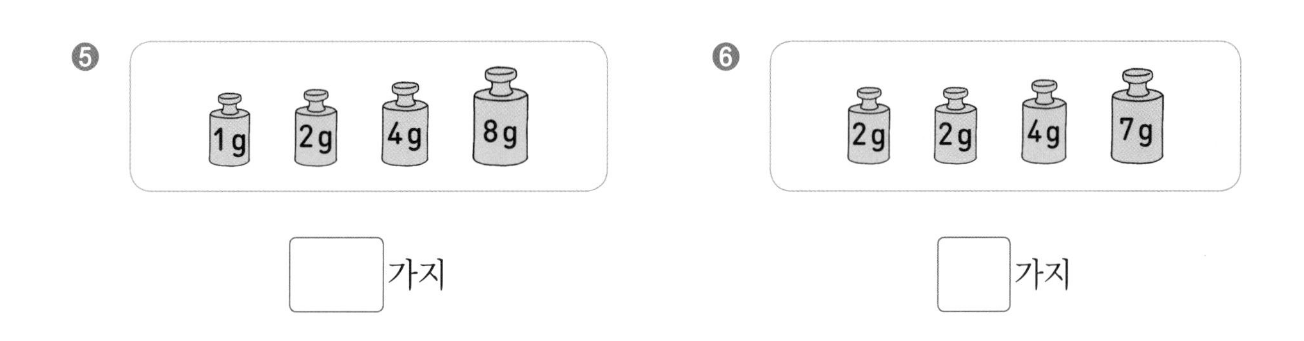
❺
1g
2g
4g
8g
가지
❻
2g
2g
4g
7g
가지

잴 수 있는 무게 (2)

오른쪽 그림과 같이 무게를 잴 수 있는 양팔저울이 있습니다. 다음 여러 가지 무게의 추를 양팔저울의 양쪽에 올려서 무게를 잴 때, 잴 수 있는 무게는 모두 몇 가지인지 표를 이용하여 구해 보세요.

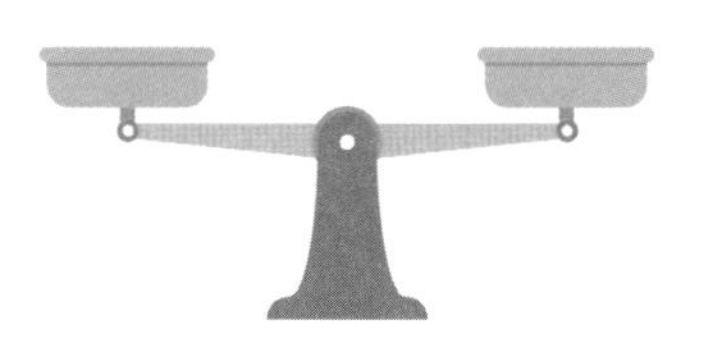

?
1g
4g
물건의 무게는 4 - 1 = 3(g)입니다.
?
2g
3g
5g
물건의 무게는 3 + 5 - 2 = 6(g)입니다.
양쪽에 추를 놓을 때는
뺄셈을 사용하면 돼.

❶

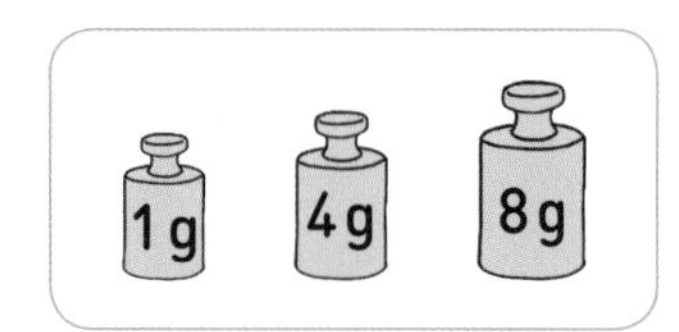
1g
4g
8g

잴 수 있는 무게	방법	잴 수 있는 무게	방법	잴 수 있는 무게	방법
1 g	1	6 g		10 g	
2 g	×	7 g		11 g	8+4-1
3 g	4-1	8 g		12 g	
4 g		9 g		13 g	
5 g					

☐ 가지

❷

잴 수 있는 무게	방법	잴 수 있는 무게	방법	잴 수 있는 무게	방법
1 g		6 g		11 g	
2 g		7 g		12 g	
3 g		8 g		13 g	
4 g		9 g		14 g	
5 g		10 g		15 g	

☐ 가지

❸

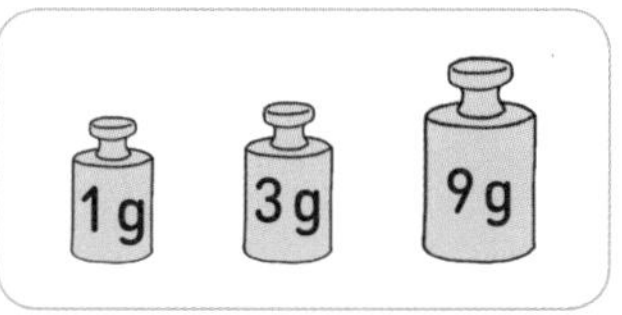

잴 수 있는 무게	방법	잴 수 있는 무게	방법	잴 수 있는 무게	방법
1 g		6 g		10 g	
2 g		7 g		11 g	
3 g		8 g		12 g	
4 g		9 g		13 g	
5 g					

☐ 가지

확인학습

✎ 연결자를 이용하여 잴 수 있는 길이는 모두 몇 가지인지 표를 완성한 후 구해 보세요.

❶

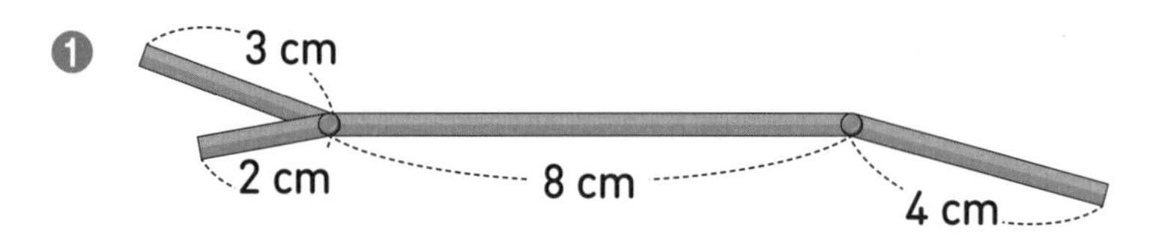

잴 수 있는 길이	방법	잴 수 있는 길이	방법	잴 수 있는 길이	방법
1 cm		6 cm		11 cm	
2 cm		7 cm		12 cm	
3 cm		8 cm		13 cm	
4 cm		9 cm		14 cm	
5 cm		10 cm		15 cm	

□가지

✎ 여러 가지 무게의 추를 양팔저울의 양쪽에 올려서 무게를 잴 때, 잴 수 있는 무게는 모두 몇 가지인지 표를 이용하여 구해 보세요.

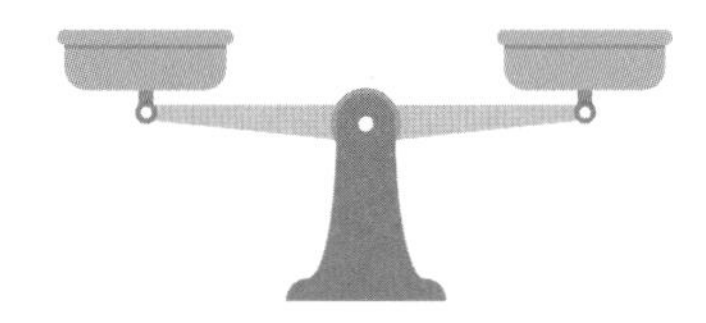

❷

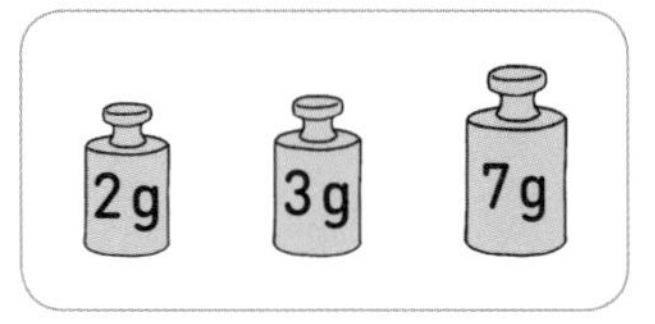

잴 수 있는 무게	방법	잴 수 있는 무게	방법	잴 수 있는 무게	방법
1 g		5 g		9 g	
2 g		6 g		10 g	
3 g		7 g		11 g	
4 g		8 g		12 g	

□가지

마무리 평가

마무리 평가는 앞에서 공부한 4주차의 유형이 다음과 같은 순서로 나와요.
틀린 문제는 몇 주차인지 확인하여 반드시 다시 한 번 학습하도록 해요.

1주차	3주차
2주차	4주차

TEST 1

마무리 평가

방은 점으로, 문은 점과 점을 연결하는 선으로 나타낸 다음 홀수점을 찾아 ○표 하세요.

❶

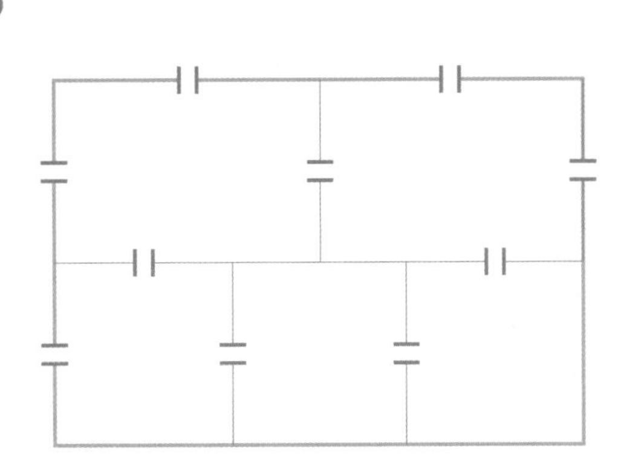

❷

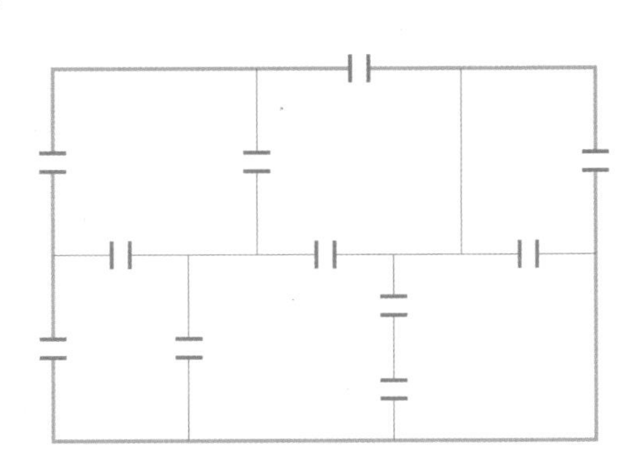

가에서 나를 지나 다까지 가는 최단 거리의 수를 구해 보세요.

❸

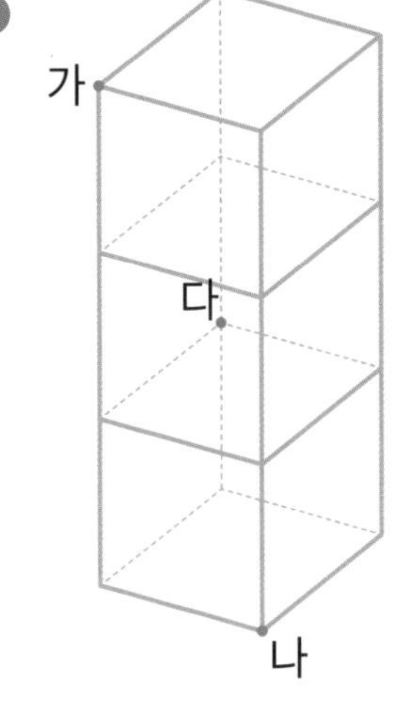

☐가지

❹

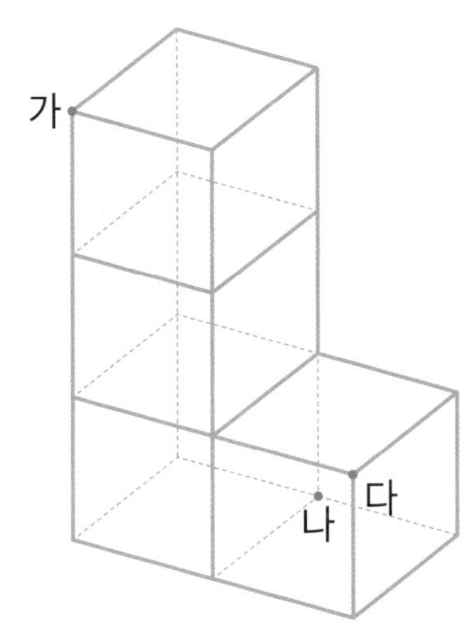

☐가지

제한 시간	15분
맞은 개수	/ 8개

주어진 수를 이용하여 합이 되는 수를 모두 만들어 보세요. 수를 모두 사용할 필요는 없지만 같은 수를 여러 번 사용할 수 없습니다.

❺ 1, 3, 5

❻ 1, 3, 6, 8

주어진 막대를 이용하여 다음 길이를 재는 그림을 그려 보세요.

2 cm 3 cm 9 cm

❼ 6 cm

❽ 10 cm

TEST 2 마무리 평가

한붓그리기가 가능한 도형이 되도록 선을 하나 그어 보세요.

❶

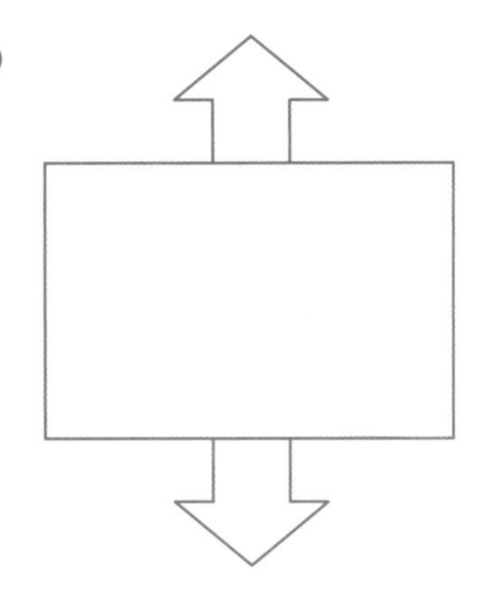

❷

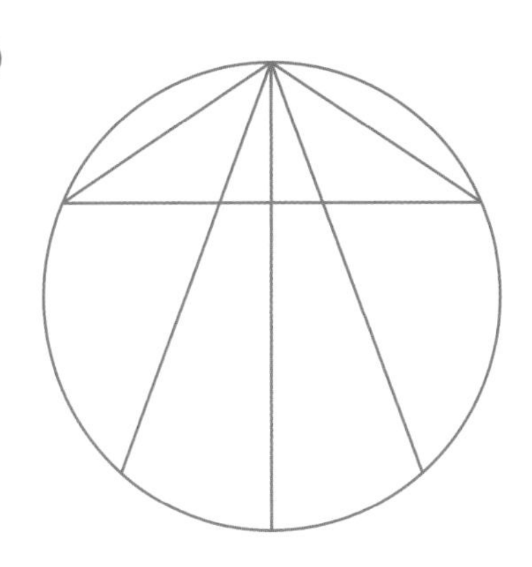

가에서 나를 지나 다까지 가는 최단 거리의 수를 구해 보세요.

❸

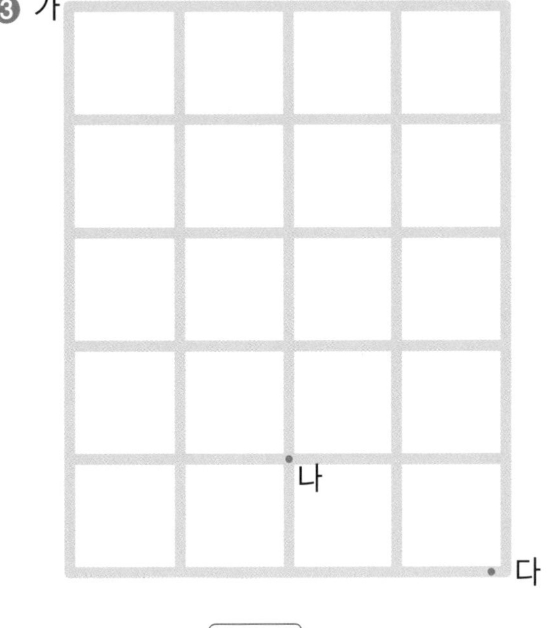

가지

❹

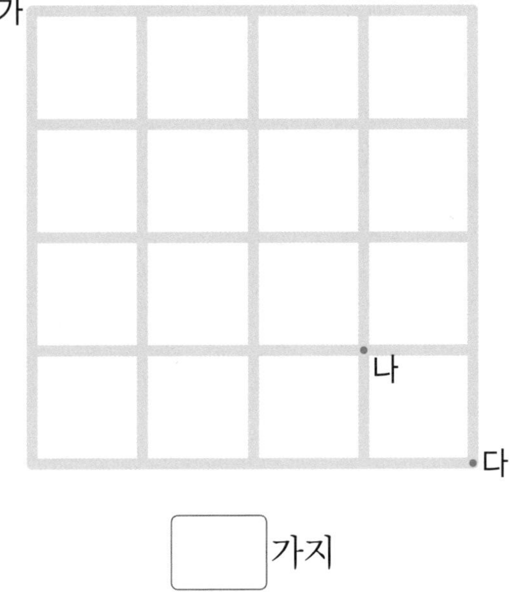

가지

✤ 다음과 같은 과녁에 화살을 3번 쏘아 모두 맞혔습니다. 맞힌 점수의 합이 되는 수를 모두 구해 보세요.

❺

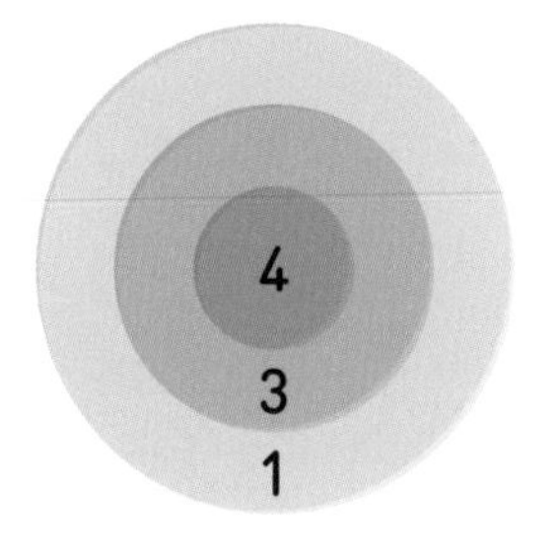

❻

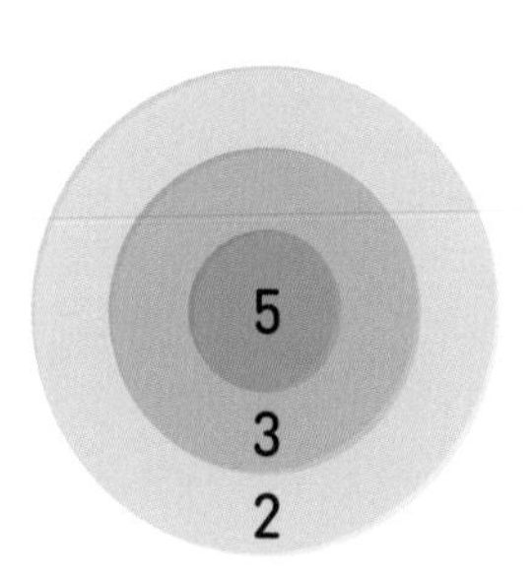

✤ 여러 가지 무게의 추를 양팔저울의 오른쪽에, 물건은 왼쪽에 올려서 무게를 잴 때, 잴 수 있는 무게는 모두 몇 가지인지 구해 보세요.

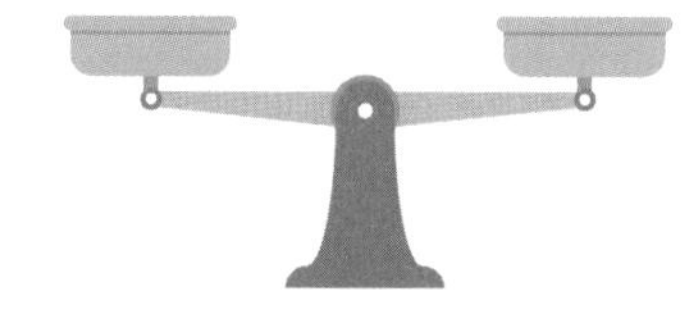

❼

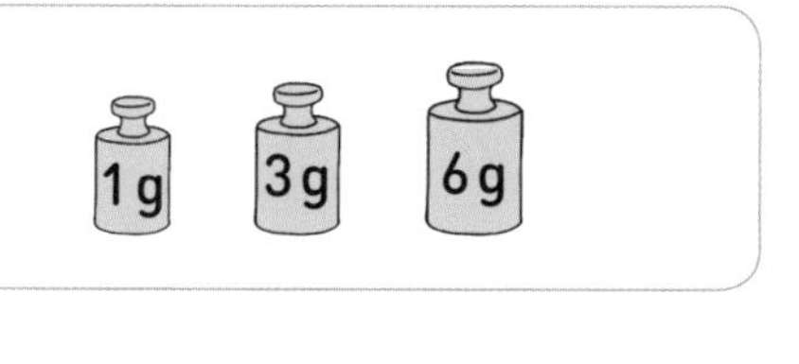

☐ 가지

❽

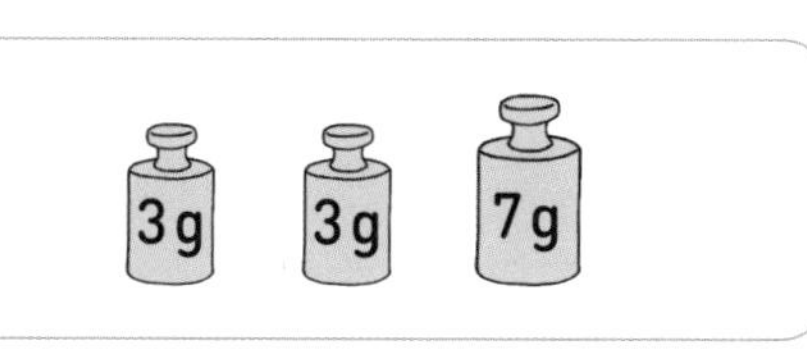

☐ 가지

마무리 평가

육지와 섬은 점으로, 다리는 점과 점을 연결하는 선으로 나타낸 다음 홀수점을 찾아 ◯표 하세요.

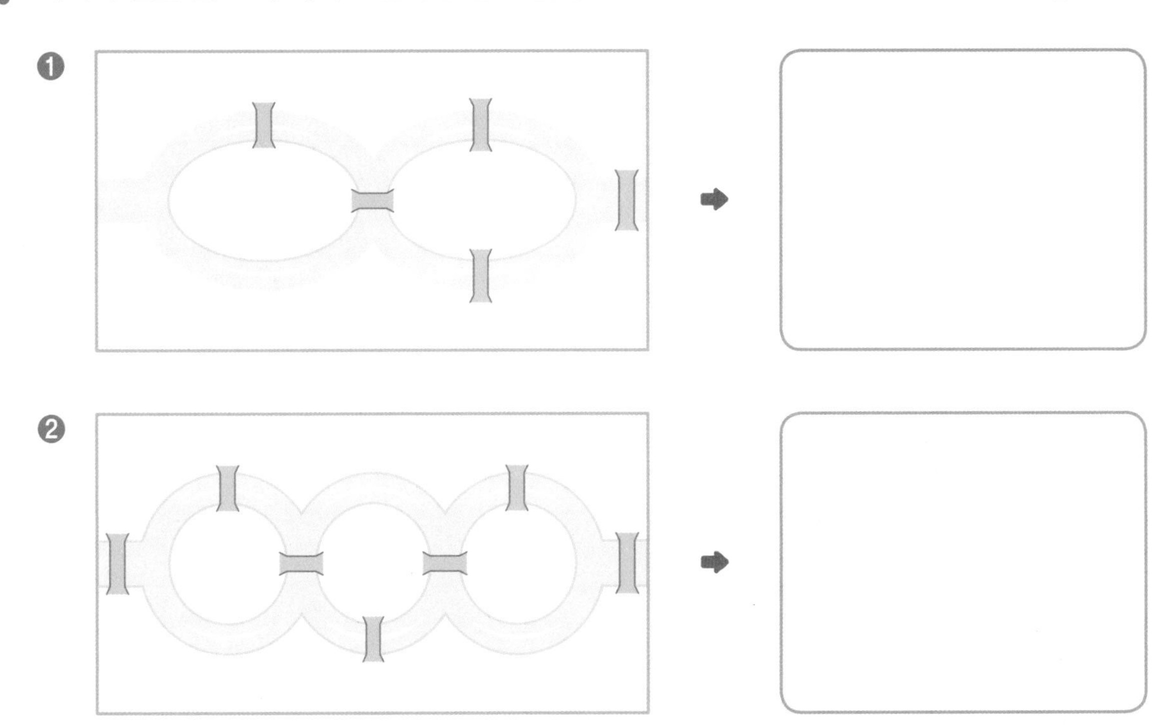

❶

❷

가에서 나까지 가는 최단 거리의 수를 구해 보세요.

❸ 가

나

☐가지

✿ 서로 다른 세 수의 합이 다음 수가 되는 경우는 몇 가지인지 구해 보세요. 순서만 바뀐 것은 한 가지로 생각합니다.

❹ 15

가지

❺ 16

가지

✿ 막대가 다음과 같이 있습니다. 이 막대를 이용하여 잴 수 있는 길이는 모두 몇 가지인지 표를 이용하여 구해 보세요.

❻ 1 cm 3 cm 8 cm

잴 수 있는 길이	방법	잴 수 있는 길이	방법
1 cm		7 cm	
2 cm		8 cm	
3 cm		9 cm	
4 cm		10 cm	
5 cm		11 cm	
6 cm		12 cm	

가지

❼ 2 cm 4 cm 7 cm

잴 수 있는 길이	방법	잴 수 있는 길이	방법
1 cm		8 cm	
2 cm		9 cm	
3 cm		10 cm	
4 cm		11 cm	
5 cm		12 cm	
6 cm		13 cm	
7 cm			

가지

TEST 4 마무리 평가

문을 한 번씩만 지나 모든 문을 통과할 수 있는 경로를 그려 보세요.

❶

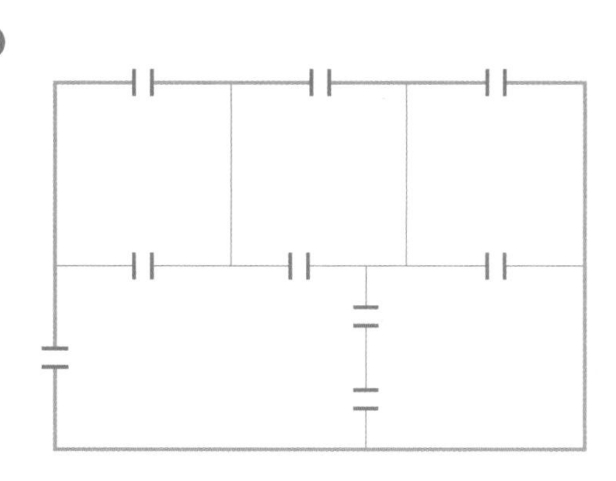

❷

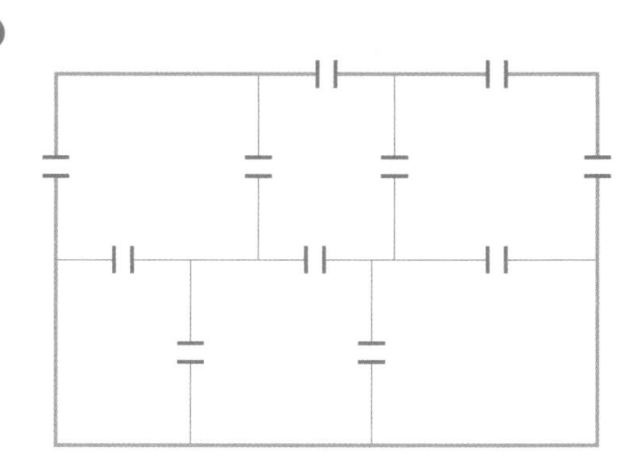

가에서 나를 지나 다까지 가는 최단 거리의 수를 구해 보세요.

❸

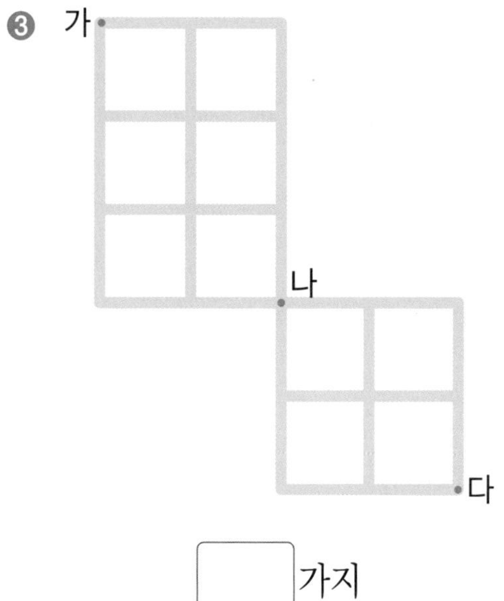

☐ 가지

❹

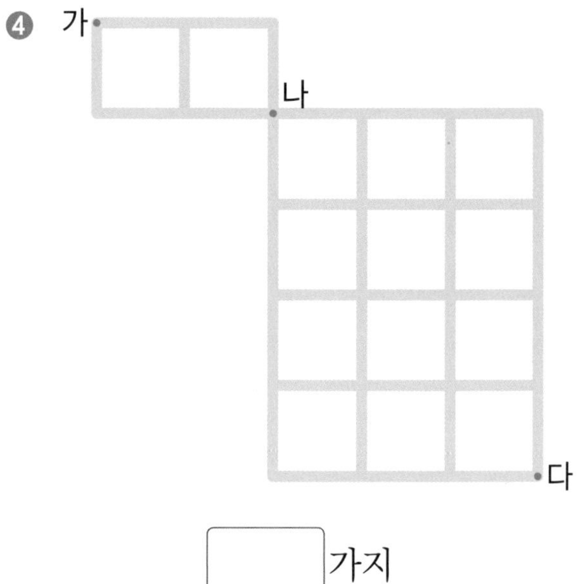

☐ 가지

✿ 7점, 5점, 3점, 1점이 있는 과녁에 화살을 4번 쏘아 모두 맞혔습니다. ◯ 안의 수만큼 점수를 얻는 방법의 수를 구해 보세요.

□가지

□가지

✿ 연결자를 이용하여 잴 수 있는 길이는 모두 몇 가지인지 표를 이용하여 구해 보세요.

7

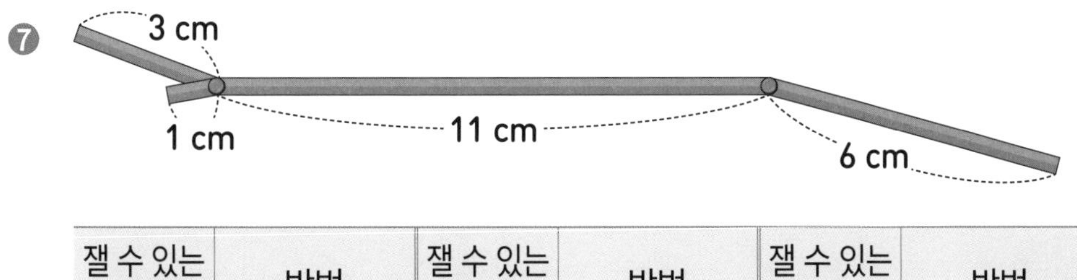

잴 수 있는 길이	방법	잴 수 있는 길이	방법	잴 수 있는 길이	방법
1 cm		8 cm		15 cm	
2 cm		9 cm		16 cm	
3 cm		10 cm		17 cm	
4 cm		11 cm		18 cm	
5 cm		12 cm		19 cm	
6 cm		13 cm		20 cm	
7 cm		14 cm			

□가지

마무리 평가

다리를 한 번씩만 지나 모든 다리를 건널 수 있는 경로를 그려 보세요.

❶

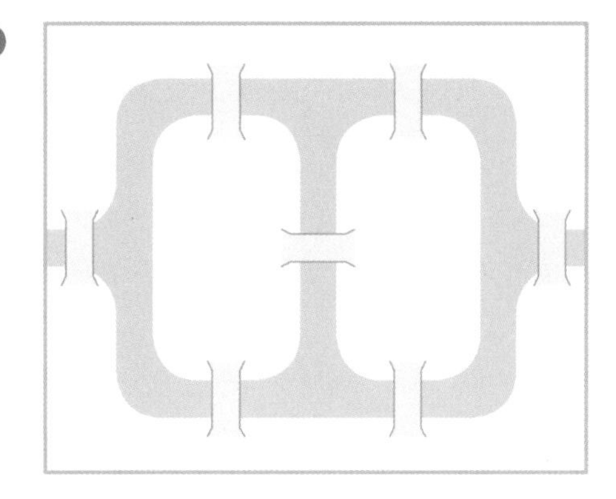

❷

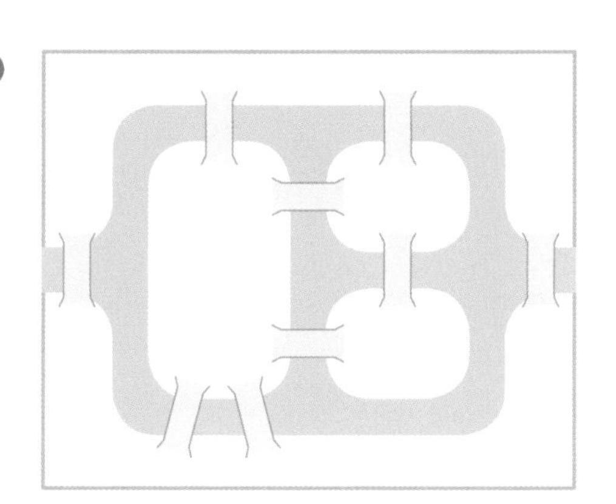

가에서 나까지 가는 최단 거리의 수를 구해 보세요. 길이 막힌 곳은 갈 수 없습니다.

❸

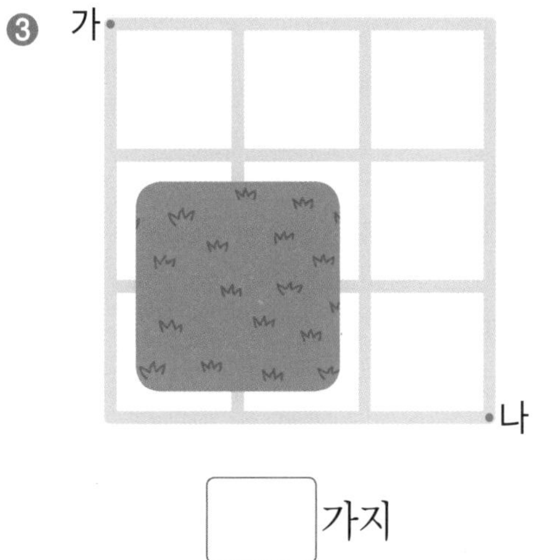

☐가지

❹

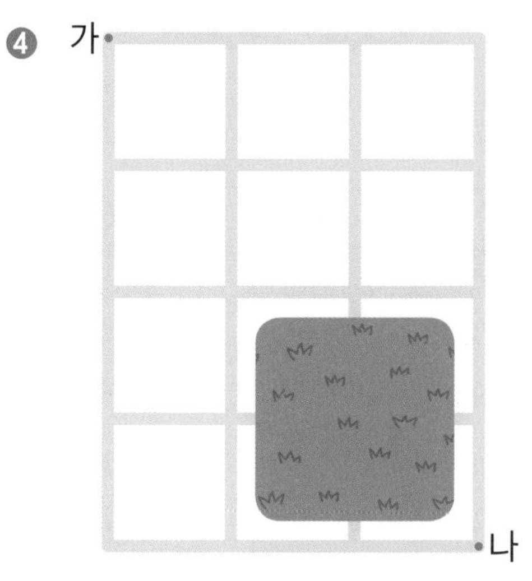

☐가지

제한 시간	15분
맞은 개수	/ 7개

세 수의 합이 다음 수가 되는 경우는 몇 가지인지 구해 보세요. 같은 수를 여러 번 더해도 되고, 순서만 바뀐 것은 한 가지로 생각합니다.

❺

❻ 16

가지

여러 가지 무게의 추를 양팔저울의 양쪽에 올려서 무게를 잴 때, 잴 수 있는 무게는 모두 몇 가지인지 표를 이용하여 구해 보세요.

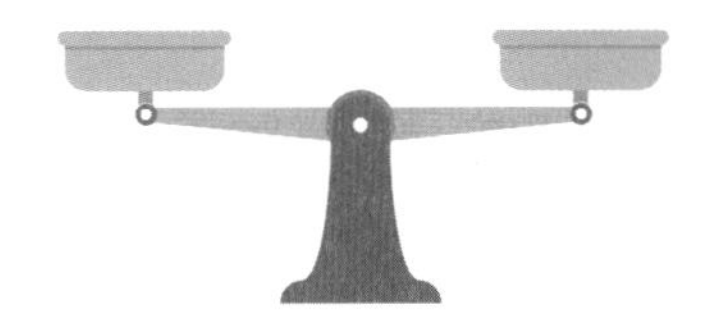

❼

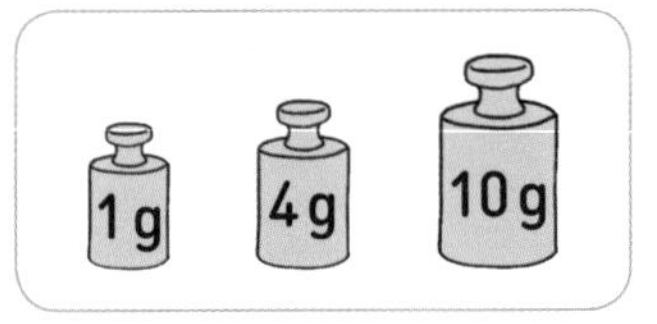

잴 수 있는 무게	방법	잴 수 있는 무게	방법	잴 수 있는 무게	방법
1 g		6 g		11 g	
2 g		7 g		12 g	
3 g		8 g		13 g	
4 g		9 g		14 g	
5 g		10 g		15 g	

가지

pensées

사고가 자라는 수학
씨투엠

‘사고력수학의 시작’

팡세

pensées

D4

정답과 풀이

지식과상상 since 2013 연구소

대표 한헌조, 연구소장 김성국

을

수학이라는 그릇에 아름답게 담아내겠습니다.

교구 프로그램

- 우리 아이 첫 번째 선물 **아토**
- 유아 수학 7대 지능 프로그램 **마테킨더**
- 유아 창의사고력 활동 수학 프로그램 **씨투엠키즈**
- 초등 창의사고력 수학 교구 프로그램 **씨투엠클래스**
- 초등 교과 창의 보드게임 **초등 수학 교구 상자**
- 사고가 자라는 수학 **매쓰업**
- 3D 두뇌 트레이닝 **지오플릭**
- 생각을 감는 두뇌회전 놀이 **릴브레인**

교재 시리즈

- 공간 감각을 위한 하루 10분 도형 학습지 **플라토**
- 실전 사고력 수학 프로그램 **씨투엠RAT**
- 하루 10분 서술형/문장제 학습지 **수학독해**
- 상위권으로 가는 문제해결 연산 학습지 **응용연산**
- 사고력수학의 시작 **팡세**

‘사고력수학의 시작’

팡세

pensées

D4

정답과 풀이

DAY 1 한붓그리기 도형 만들기

한붓그리기가 가능한 도형이 되도록 선을 하나 그어 보세요.

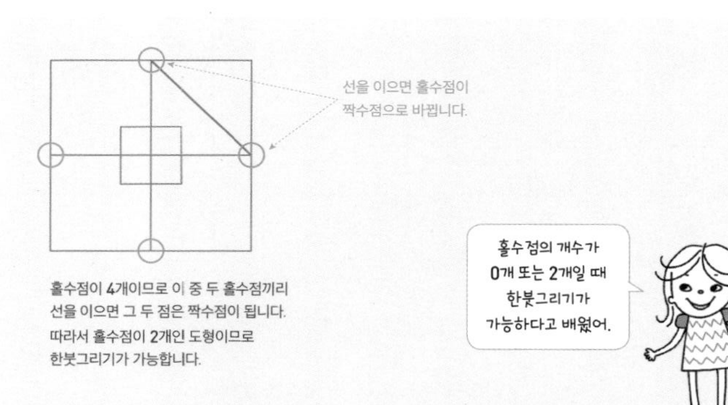

홀수점이 4개이므로 이 중 두 홀수점끼리
선을 이으면 그 두 점은 짝수점이 됩니다.
따라서 홀수점이 2개인 도형이므로
한붓그리기가 가능합니다.

❶ ❷

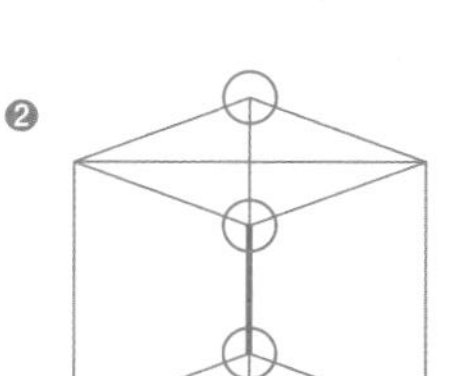

이 외에도 여러 가지 방법이 있습니다.

선을 그을 때 곡선으로 그어도 됩니다.

❸

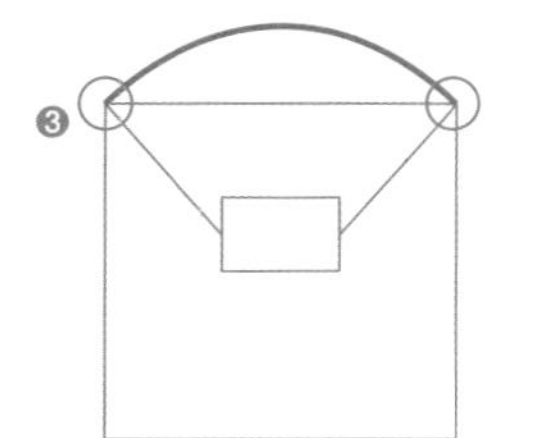

❹

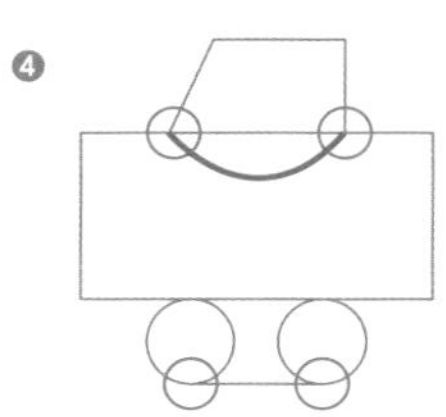

❺ ❻

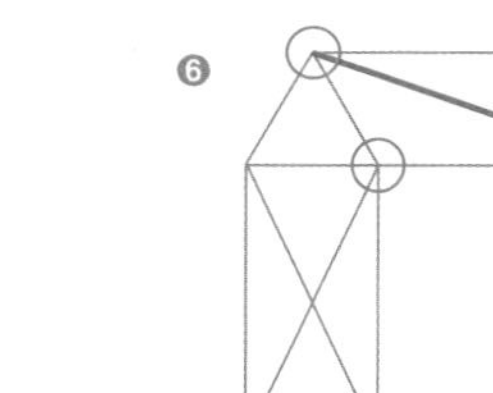
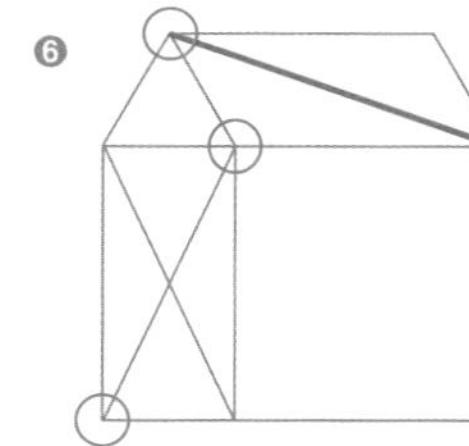

이 외에도 여러 가지 방법이 있습니다.

❼

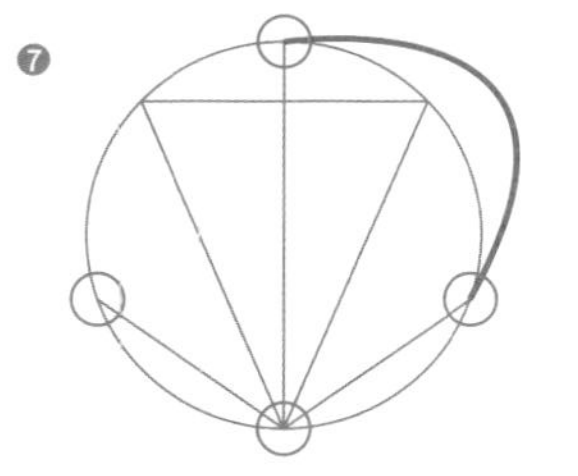

❽

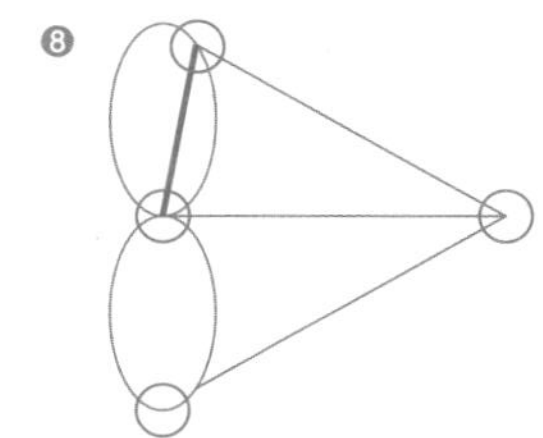

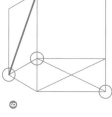

DAY 2

점과 선으로 나타내기

방은 점으로, 문은 점과 점을 연결하는 선으로 나타낸 다음 홀수점을 찾아 ◯표 하세요.

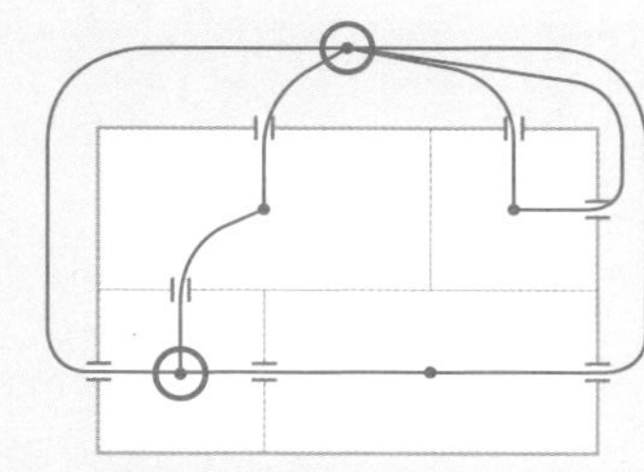

① 방에 점을 찍습니다. 이때 방의 외부도 하나의 큰 방으로 생각하여 점을 찍습니다.
② 점과 점 사이에 문이 있으면 문을 지나가도록 두 점을 선으로 연결합니다.

방은 5개이니까
점은 5개, 문은 7개이니까
선은 7개야.

❶

❷

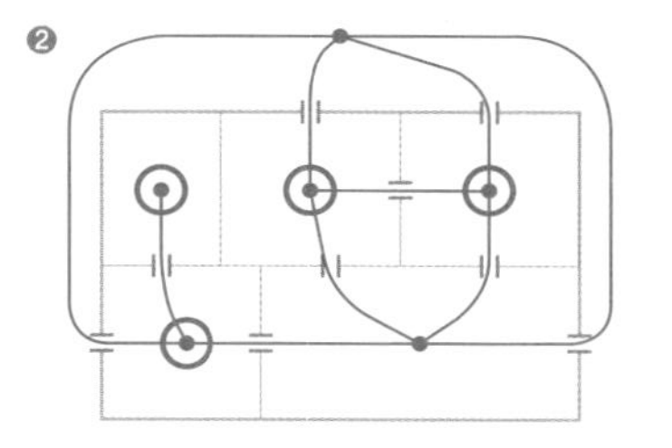

❸

❹

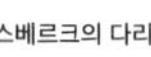

❺

❻

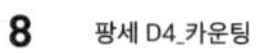

DAY 3 출입구 만들기

✎ 문을 한 번씩만 지나 모든 문을 통과할 수 있는 경로를 그려 보세요.

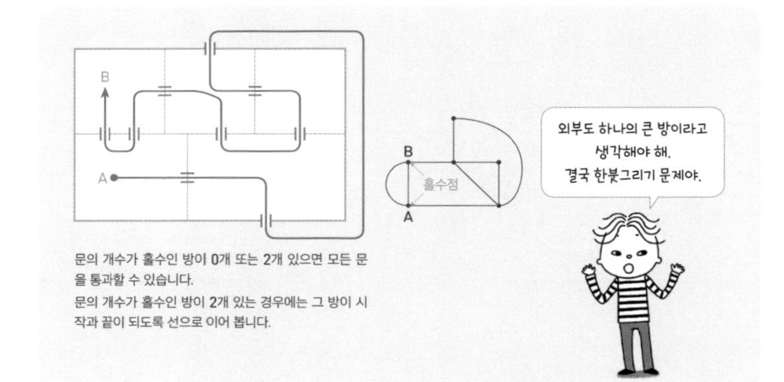

문의 개수가 홀수인 방이 0개 또는 2개 있으면 모든 문을 통과할 수 있습니다.
문의 개수가 홀수인 방이 2개 있는 경우에는 그 방이 시작과 끝이 되도록 선으로 이어 봅니다.

이 외에도 여러 가지 방법이 있습니다.

❶ ❷

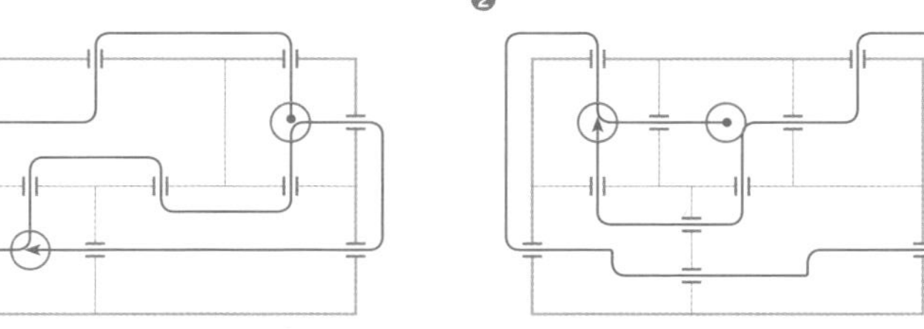

문이 홀수 개 연결된 방을 찾아 ◯로 표시한 후 그 방을 시작점 또는 끝점으로 하여 선으로 이어 봅니다.

pensées

이 외에도 여러 가지 방법이 있습니다.

❸

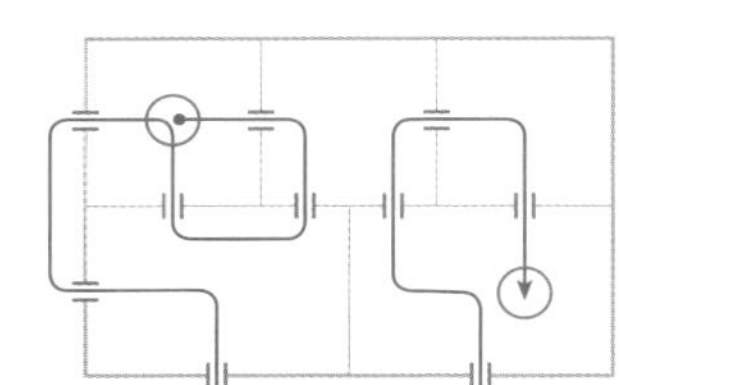

❹

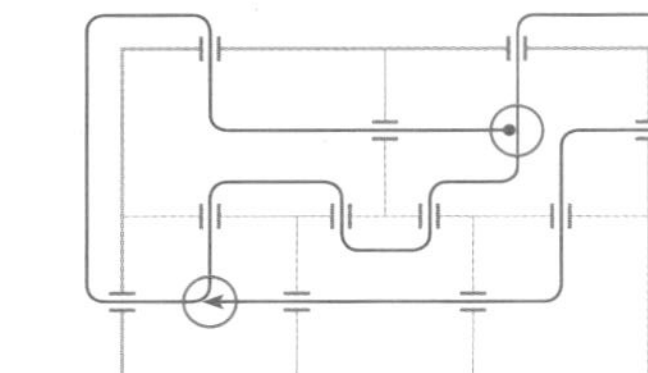

문이 홀수 개 연결된 방을 찾아 ◯로 표시한 후 그 방을 시작점 또는 끝점으로 하여 선으로 이어 봅니다.

❺

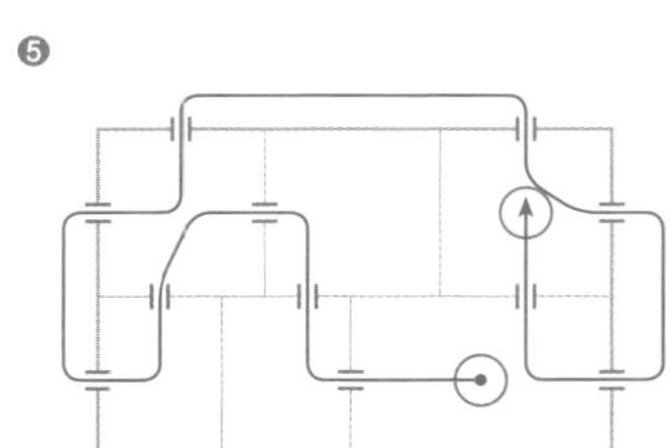

❻

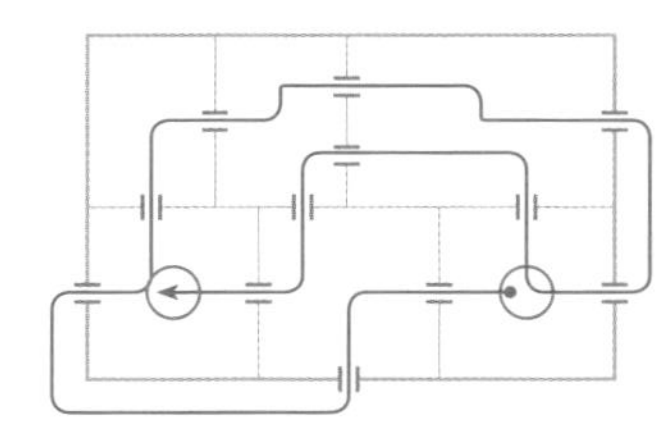

DAY 4 쾨니히스베르크의 다리

pensées

쾨니히스베르크의 다리 문제는 독일의 옛 도시 쾨니히스베르크에 있는 7개의 다리에 대한 문제입니다.

이 도시에는 그림과 같이 강이 있고, 두 개의 큰 섬이 있습니다.
그리고 이 섬들과 육지를 연결하는 7개의 다리가 있습니다.
다리를 지나는 사람들은 다음과 같은 생각을 하였다고 합니다.
"7개의 다리를 한 번씩만 지나서 모든 다리를 건널 수 있을까?"
이 문제를 쾨니히스베르크의 다리 문제라고 합니다.

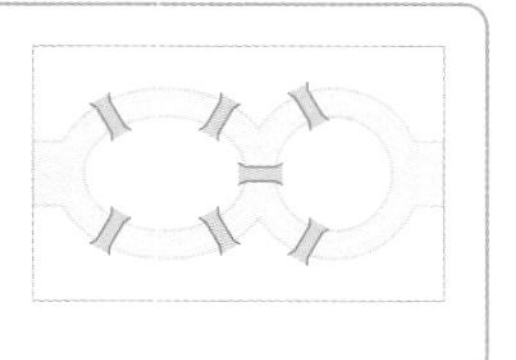

육지와 섬은 점으로, 다리는 선으로 나타내 보세요.

A에는 다리가 5개이므로 5개의 선이 만나도록 그립니다.
같은 방법으로 B, C, D도 나타내어 봅니다.

모양은 다양하게
나올 수 있지만 점에서 만나는
선의 개수는 정확해야 해.

❶

❷

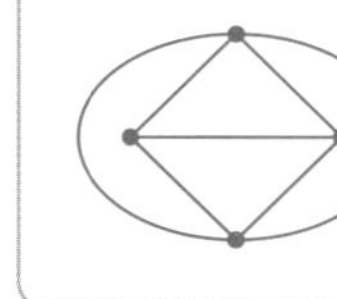

❸

❹

그림이 달라도 점을 연결하는 선의 개수가 같으면 정답입니다.

쾨니히스베르크의 다리

DAY 5 다리 건너기

다리를 한 번씩만 지나 모든 다리를 건널 수 있는 경로를 그려 보세요.

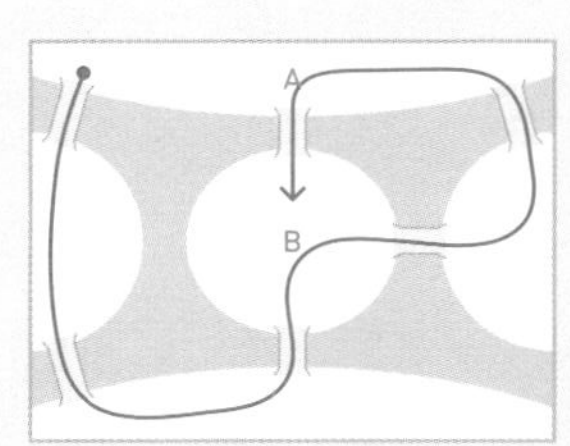

다리의 개수가 홀수인 지역이 0개 또는 2개 있으면 모든 다리를 통과할 수 있습니다.
다리의 개수가 홀수인 지역이 2개 있는 경우에는 그 지역이 시작과 끝이 되도록 선으로 이어 봅니다.

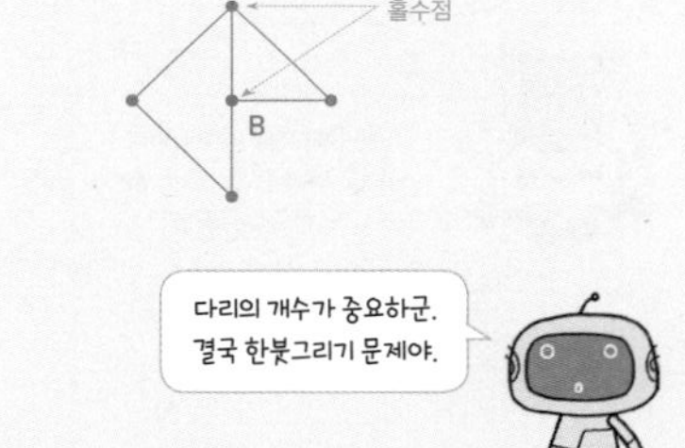

A
B
홀수점
다리의 개수가 중요하군.
결국 한붓그리기 문제야.

이 외에도 여러 가지 방법이 있습니다.

❶

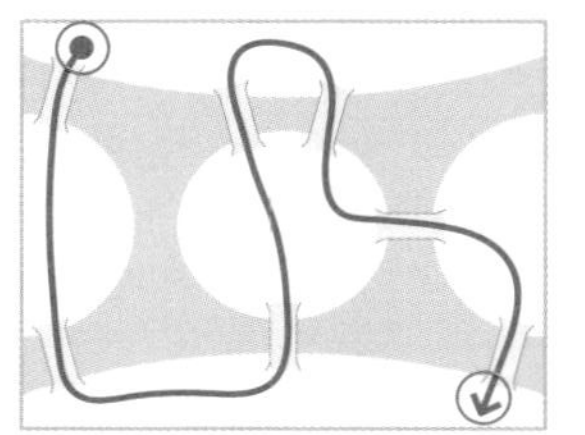

❷

다리가 홀수 개 연결된 지역을 찾아 ◯로 표시한 후 그 지역을 시작점 또는 끝점으로 하여 선으로 이어 봅니다.

pensées

이 외에도 여러 가지 방법이 있습니다.

❸

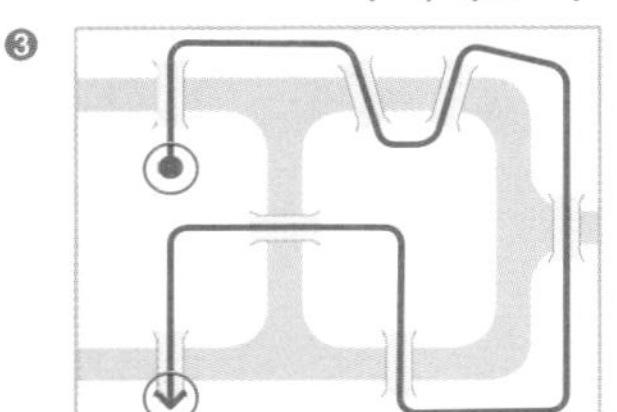

❹

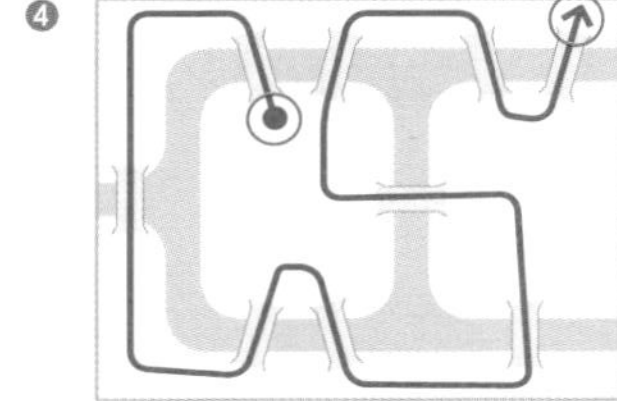

❺

❻

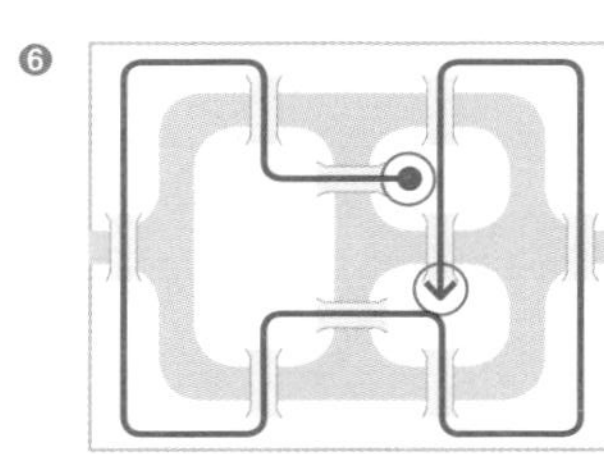

확인학습

문을 한 번씩만 지나 모든 문을 통과할 수 있는 경로를 그려 보세요.

❶

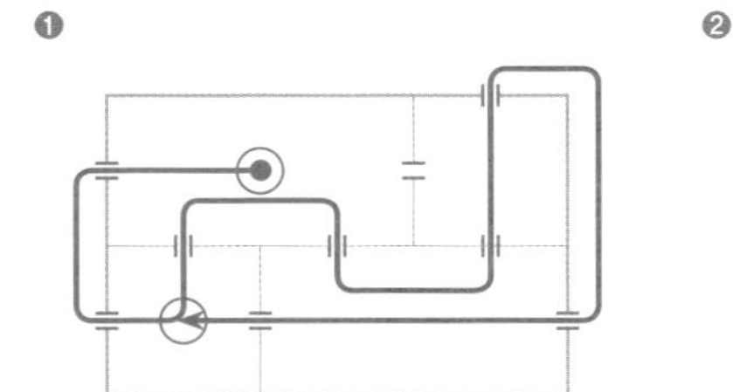

❷

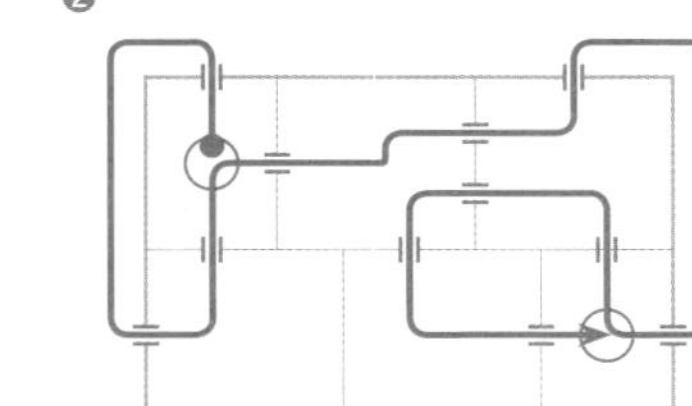

문이 홀수 개 연결된 방을 찾아 ◯로 표시한 후 그 방을 시작점 또는 끝점으로 하여 선으로 이어 봅니다.

이 외에도 여러 가지 방법이 있습니다.

다리를 한 번씩만 지나 모든 다리를 건널 수 있는 경로를 그려 보세요.

❸

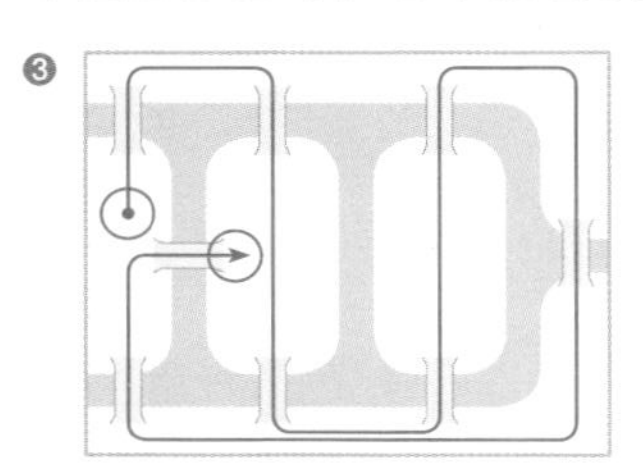

❹

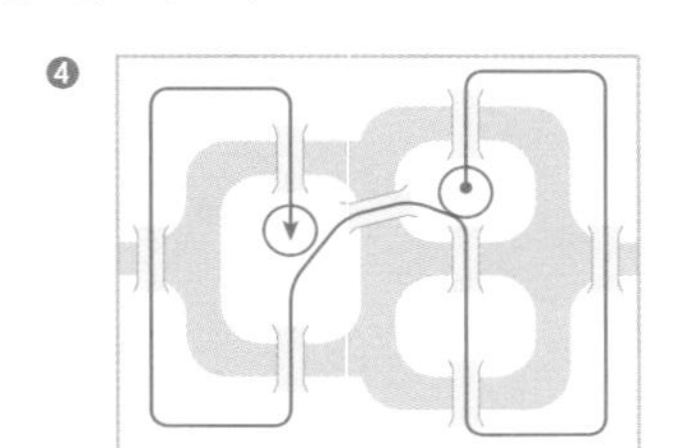

다리가 홀수 개 연결된 지역을 찾아 ◯로 표시한 후 그 지역을 시작점 또는 끝점으로 하여 선으로 이어 봅니다.

2주차 최단 거리의 수

DAY 1 최단 거리의 수

다음과 같은 방법을 이용하여 가에서 나까지 가는 최단 거리의 수를 구해 보세요.

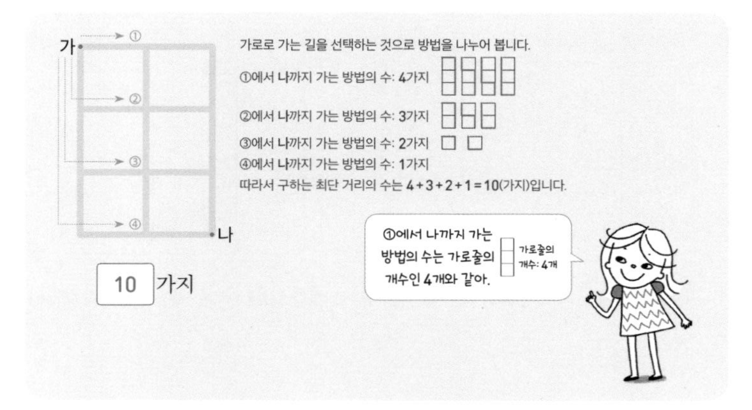

가로로 가는 길을 선택하는 것으로 방법을 나누어 봅니다.

①에서 나까지 가는 방법의 수: 4가지

②에서 나까지 가는 방법의 수: 3가지

③에서 나까지 가는 방법의 수: 2가지

④에서 나까지 가는 방법의 수: 1가지

따라서 구하는 최단 거리의 수는 4+3+2+1=10(가지)입니다.

10 가지

가로줄을 세는 방법을 이용하여 최단 거리의 수를 구해 봅니다.

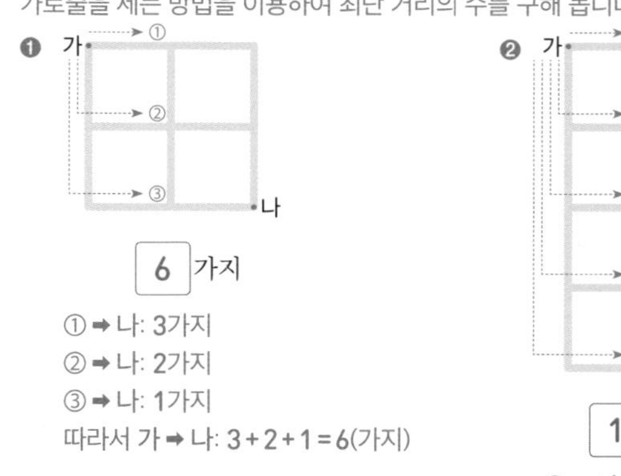

❶ 6 가지

① ➡ 나: 3가지

② ➡ 나: 2가지

③ ➡ 나: 1가지

따라서 가 ➡ 나: 3+2+1=6(가지)

❷ 15 가지

① ➡ 나: 5가지 ② ➡ 나: 4가지

③ ➡ 나: 3가지 ④ ➡ 나: 2가지

⑤ ➡ 나: 1가지

따라서 가 ➡ 나: 5+4+3+2+1=15(가지)

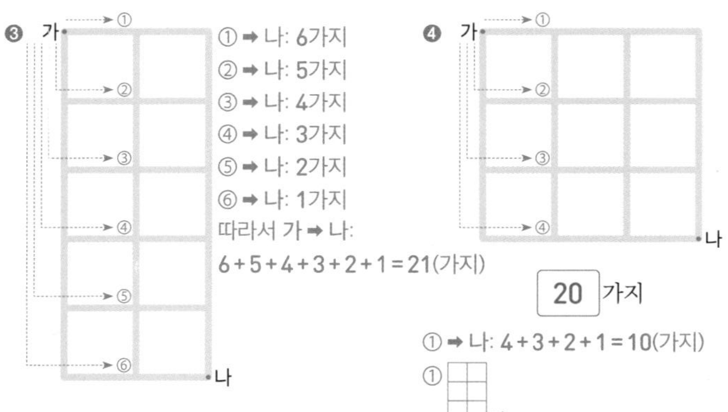

❸ 21 가지

① ➡ 나: 6가지

② ➡ 나: 5가지

③ ➡ 나: 4가지

④ ➡ 나: 3가지

⑤ ➡ 나: 2가지

⑥ ➡ 나: 1가지

따라서 가 ➡ 나:

6+5+4+3+2+1=21(가지)

❹ 20 가지

① ➡ 나: 4+3+2+1=10(가지)

보기 문제와 같은 모양입니다.

따라서 10가지임을 확인할 수 있습니다.

② ➡ 나: 3+2+1=6(가지)

③ ➡ 나: 2+1=3(가지)

④ ➡ 나: 1가지

따라서 가 ➡ 나: 10+6+3+1=20(가지)

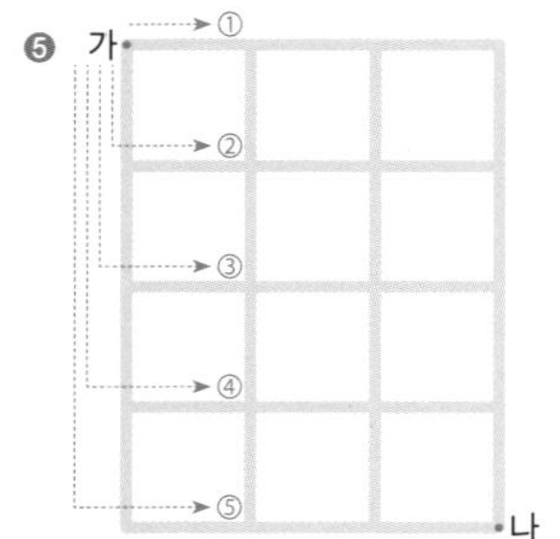

❺ 35 가지

① ➡ 나: 5+4+3+2+1=15(가지)

② ➡ 나: 4+3+2+1=10(가지)

③ ➡ 나: 3+2+1=6(가지)

④ ➡ 나: 2+1=3(가지)

⑤ ➡ 나: 1가지

따라서 가 ➡ 나: 15+10+6+3+1=35(가지)

들렀다 가기

✎ 다음과 같은 방법을 이용하여 가에서 나를 지나 다까지 가는 최단 거리의 수를 구해 보세요.

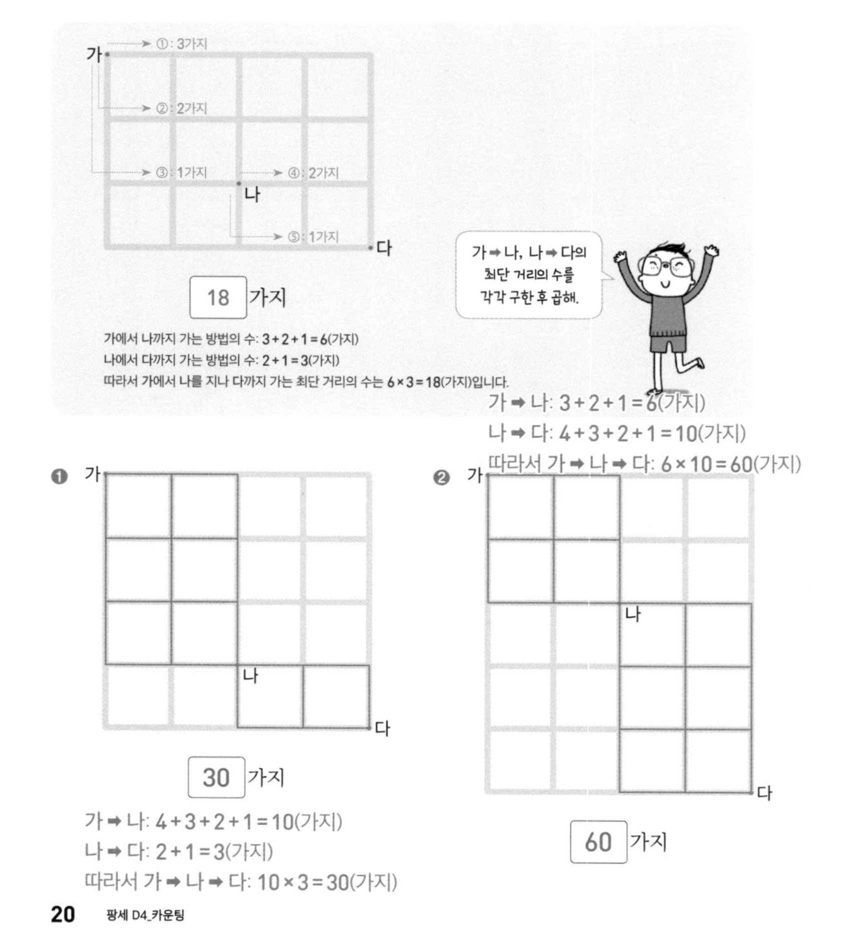

18 가지

가에서 나까지 가는 방법의 수: 3+2+1=6(가지)
나에서 다까지 가는 방법의 수: 2+1=3(가지)
따라서 가에서 나를 지나 다까지 가는 최단 거리의 수는 6×3=18(가지)입니다.

❶

30 가지

가➡나: 4+3+2+1=10(가지)
나➡다: 2+1=3(가지)
따라서 가➡나➡다: 10×3=30(가지)

❷

가➡나: 3+2+1=6(가지)
나➡다: 4+3+2+1=10(가지)
따라서 가➡나➡다: 6×10=60(가지)

60 가지

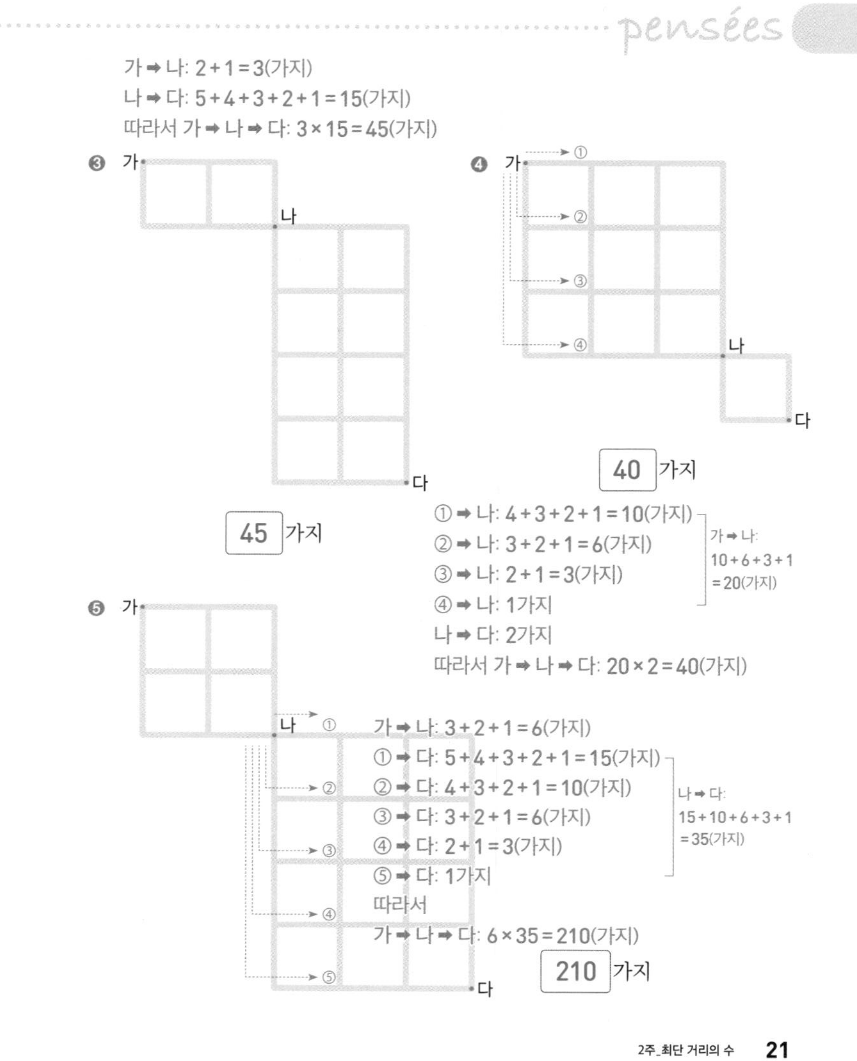

❸

가➡나: 2+1=3(가지)
나➡다: 5+4+3+2+1=15(가지)
따라서 가➡나➡다: 3×15=45(가지)

45 가지

❹

40 가지

①➡나: 4+3+2+1=10(가지)
②➡나: 3+2+1=6(가지)
③➡나: 2+1=3(가지)
④➡나: 1가지
(가➡나: 10+6+3+1=20(가지))
나➡다: 2가지
따라서 가➡나➡다: 20×2=40(가지)

❺

가➡나: 3+2+1=6(가지)
①➡다: 5+4+3+2+1=15(가지)
②➡다: 4+3+2+1=10(가지)
③➡다: 3+2+1=6(가지)
④➡다: 2+1=3(가지)
⑤➡다: 1가지
(나➡다: 15+10+6+3+1=35(가지))
따라서
가➡나➡다: 6×35=210(가지)

210 가지

2주차 최단 거리의 수

DAY 3 지름길

다음과 같은 방법을 이용하여 가에서 나까지 가는 최단 거리의 수를 구해 보세요.

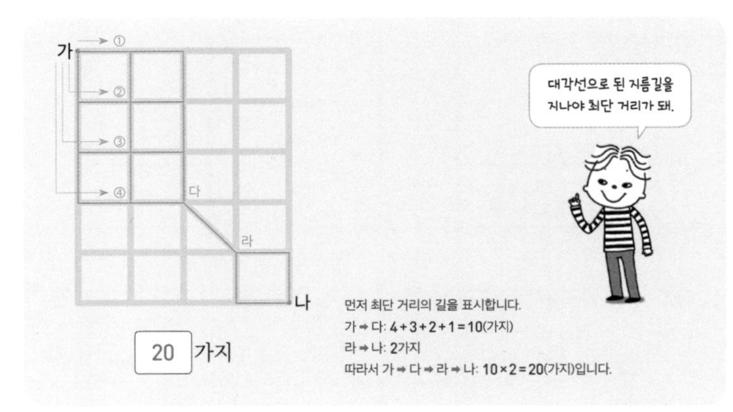

대각선으로 된 지름길을
지나야 최단 거리가 돼.

20 가지

먼저 최단 거리의 길을 표시합니다.
가 ➡ 다: 4+3+2+1=10(가지)
라 ➡ 나: 2가지
따라서 가 ➡ 다 ➡ 라 ➡ 나: 10×2=20(가지)입니다.

❶

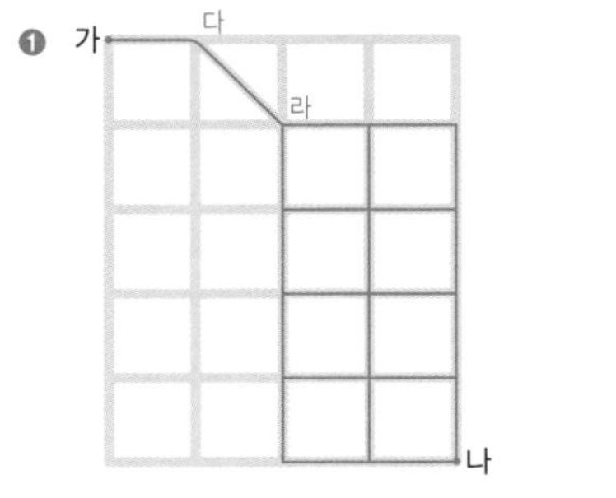
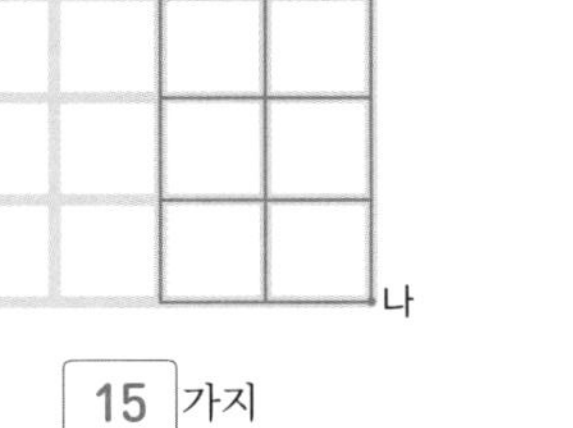

15 가지

가 ➡ 다: 1가지
라 ➡ 나: 5+4+3+2+1=15(가지)
따라서 가 ➡ 다 ➡ 라 ➡ 나: 1×15=15(가지)

❷

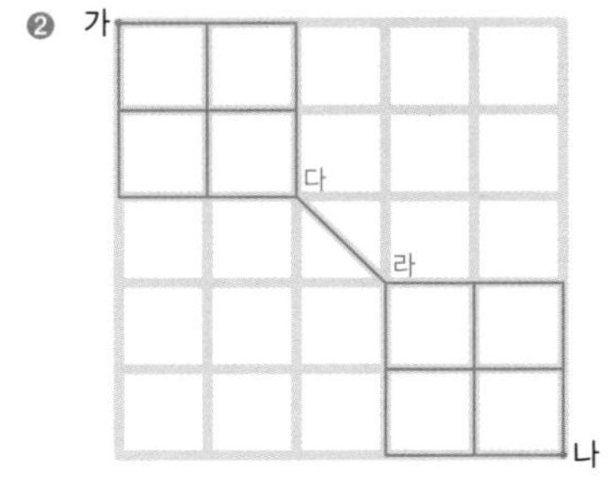

36 가지

가 ➡ 다: 3+2+1=6(가지)
라 ➡ 나: 3+2+1=6(가지)
따라서 가 ➡ 다 ➡ 라 ➡ 나: 6×6=36(가지)

pensées

❸

가 ➡ 다: 5+4+3+2+1=15(가지)
라 ➡ 나: 2+1=3(가지)
따라서 가 ➡ 다 ➡ 라 ➡ 나:
15×3=45(가지)

45 가지

❹

가 ➡ 다: 3가지
① ➡ 나: 4+3+2+1=10(가지)
② ➡ 나: 3+2+1=6(가지)
③ ➡ 나: 2+1=3(가지) ④ ➡ 나: 1가지
라 ➡ 나: 10+6+3+1=20(가지)
따라서 가 ➡ 다 ➡ 라 ➡ 나: 3×20=60(가지)

60 가지

❺

① ➡ 다: 5+4+3+2+1=15(가지)
② ➡ 다: 4+3+2+1=10(가지)
③ ➡ 다: 3+2+1=6(가지)
④ ➡ 다: 2+1=3(가지)
⑤ ➡ 다: 1가지
가 ➡ 다: 15+10+6+3+1=35(가지)
라 ➡ 나: 1가지
따라서 가 ➡ 다 ➡ 라 ➡ 나: 35×1=35(가지)

35 가지

갈 수 없는 길

다음과 같은 방법을 이용하여 **가**에서 **나**까지 가는 최단 거리의 수를 구해 보세요. 길이 막힌 곳은 갈 수 없습니다.

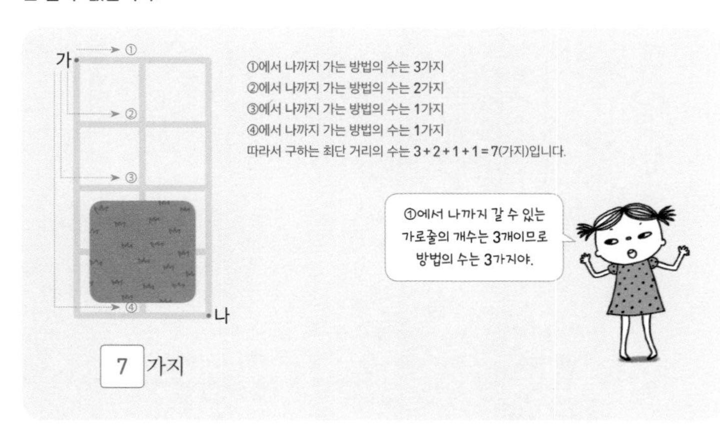

가
나
①
②
③
④
①에서 나까지 가는 방법의 수는 3가지
②에서 나까지 가는 방법의 수는 2가지
③에서 나까지 가는 방법의 수는 1가지
④에서 나까지 가는 방법의 수는 1가지
따라서 구하는 최단 거리의 수는 3+2+1+1=7(가지)입니다.
①에서 나까지 갈 수 있는 가로줄의 개수는 3개이므로 방법의 수는 3가지야.

7 가지

❶

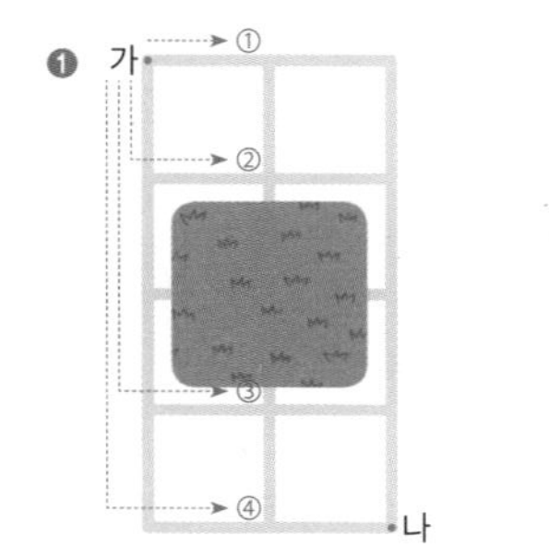

6 가지

① ➡ 나: 2가지　② ➡ 나: 1가지
③ ➡ 나: 2가지　④ ➡ 나: 1가지
따라서 가 ➡ 나: 2+1+2+1=6(가지)

❷

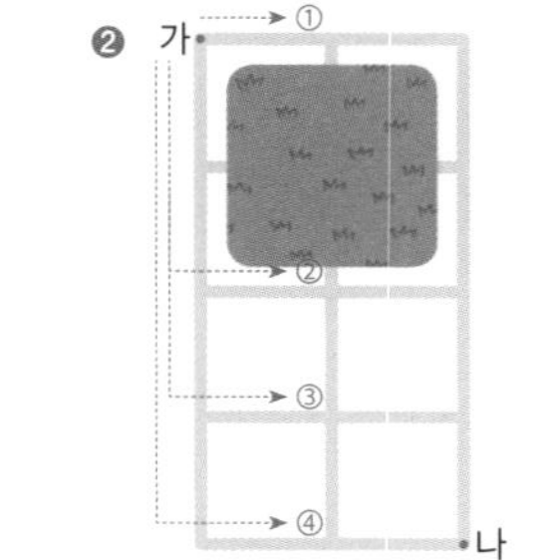

7 가지

① ➡ 나: 1가지　② ➡ 나: 3가지
③ ➡ 나: 2가지　④ ➡ 나: 1가지
따라서 가 ➡ 나: 1+3+2+1=7(가지)

❸

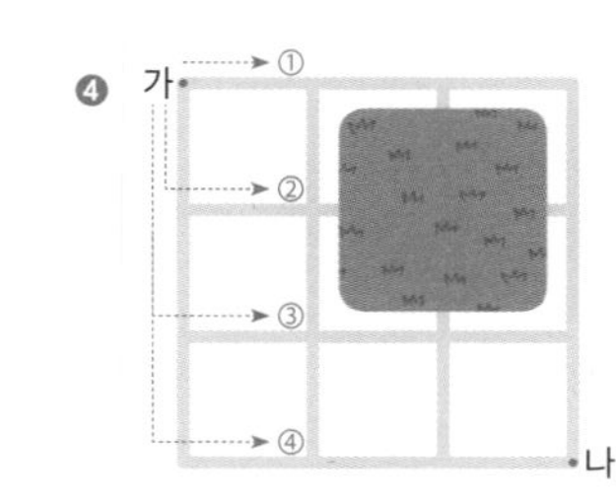

8 가지

① ➡ 나: 4가지
② ➡ 나: 2+1=3(가지)
③ ➡ 나: 1가지
따라서 가 ➡ 나: 4+3+1=8(가지)

❹

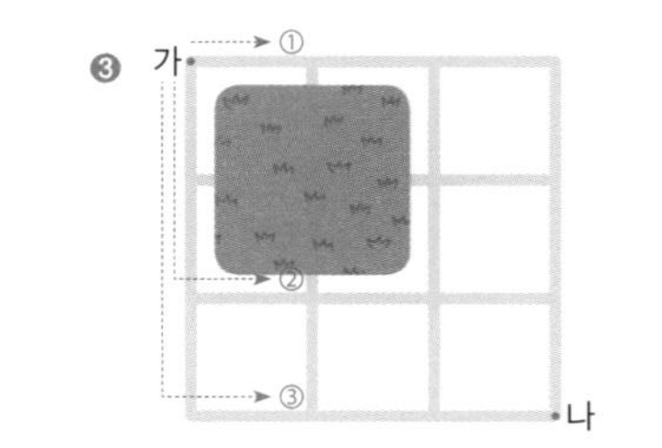

11 가지

① ➡ 나: 1+2+1=4(가지)
② ➡ 나: 2+1=3(가지)
③ ➡ 나: 2+1=3(가지)
④ ➡ 나: 1가지
따라서 가 ➡ 나: 4+3+3+1=11(가지)

❺

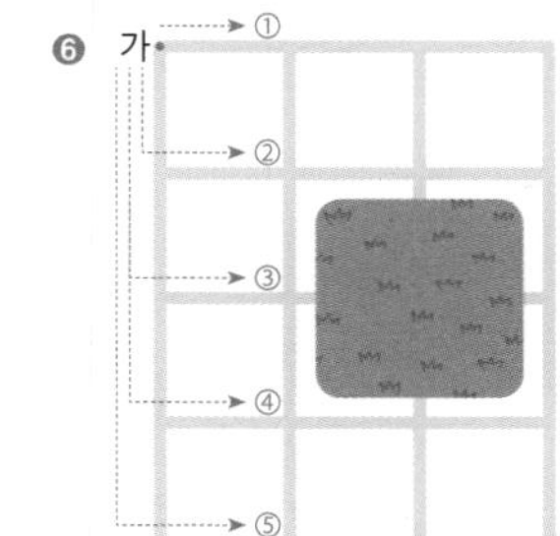

17 가지

① ➡ 나: 5+4=9(가지)　② ➡ 나: 4가지
③ ➡ 나: 2+1=3(가지)　④ ➡ 나: 1가지
따라서 가 ➡ 나: 9+4+3+1=17(가지)

❻

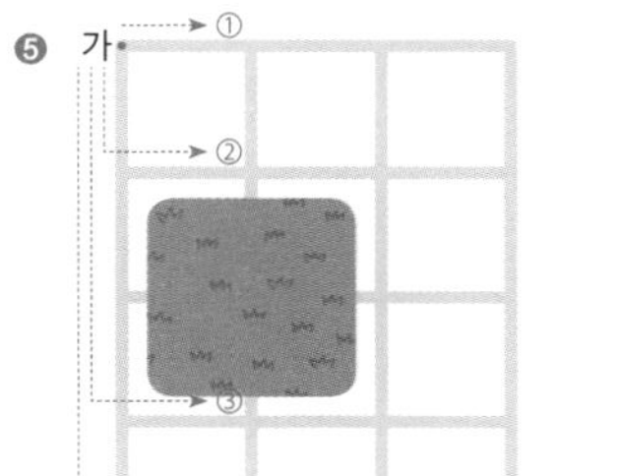

17 가지

① ➡ 나: 2+1+2+1=6(가지)
② ➡ 나: 1+2+1=4(가지)
③ ➡ 나: 2+1=3(가지)
④ ➡ 나: 2+1=3(가지)　⑤ ➡ 나: 1가지
따라서 가 ➡ 나: 6+4+3+3+1=17(가지)

DAY 5 정육면체 최단 거리

pensées

✎ 가에서 나까지 가는 최단 거리의 수를 구하려고 합니다. □ 안에 모이는 길의 수를 써넣은 후 최단 거리의 수를 구해 보세요.

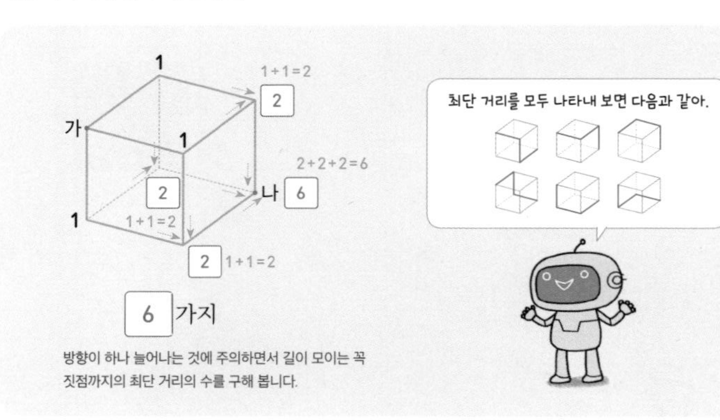

방향이 하나 늘어나는 것에 주의하면서 길이 모이는 꼭짓점까지의 최단 거리의 수를 구해 봅니다.

❶

1, 1+1=2, 2
가, 1, 2, 1+1=2, 1+1=2, 2, 2+2+2=6, 6
1, 3, 1+2=3, 1+2=3, 3, 3+3+6=12, 나 12
1

12 가지

❷

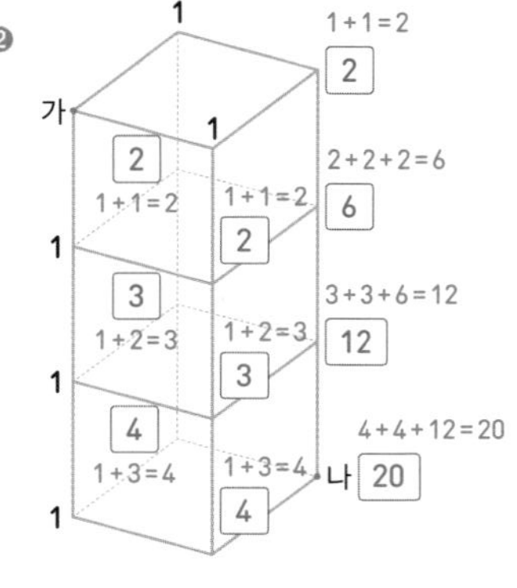

20 가지

✎ 가에서 나를 지나 다까지 가는 최단 거리의 수를 구해 보세요.

❸

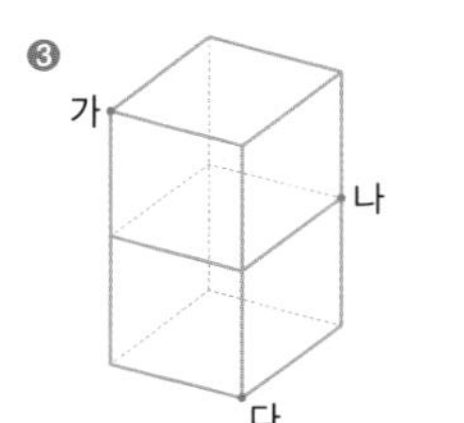

12 가지

가 ➡ 나: 6가지
나 ➡ 다: 2가지
따라서 가 ➡ 나 ➡ 다: 6 × 2 = 12(가지)

❹

가, 나, 다

36 가지

가 ➡ 나: 6가지
나 ➡ 다: 6가지
따라서 가 ➡ 나 ➡ 다: 6 × 6 = 36(가지)

❺

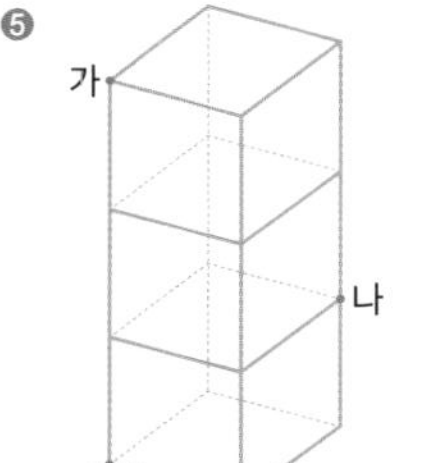

72 가지

가 ➡ 나: 12가지
나 ➡ 다: 6가지
따라서 가 ➡ 나 ➡ 다: 12 × 6 = 72(가지)

2 주차 확인학습

가에서 나까지 가는 최단 거리의 수를 구해 보세요. 길이 막힌 곳은 갈 수 없습니다.

❶

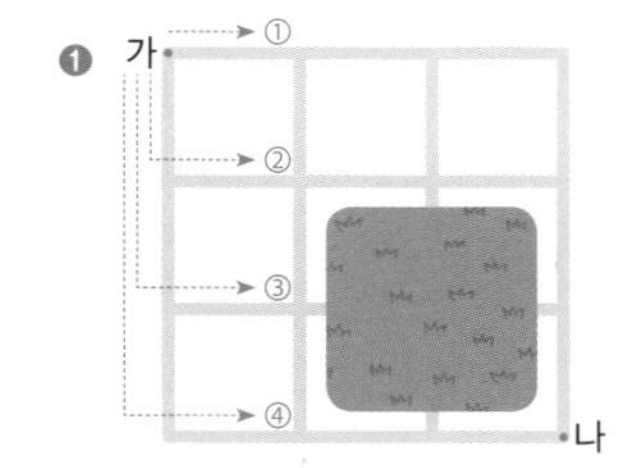

8 가지

① ➡ 나: 2 + 1 + 1 = 4(가지)
② ➡ 나: 1 + 1 = 2(가지)
③ ➡ 나: 1가지 ④ ➡ 나: 1가지
따라서 가 ➡ 나: 4 + 2 + 1 + 1 = 8(가지)

❷

15 가지

① ➡ 나: 5가지
② ➡ 나: 3 + 2 + 1 = 6(가지)
③ ➡ 나: 2 + 1 = 3(가지) ④ ➡ 나: 1가지
따라서 가 ➡ 나: 5 + 6 + 3 + 1 = 15(가지)

가에서 나를 지나 다까지 가는 최단 거리의 수를 구해 보세요.

❸

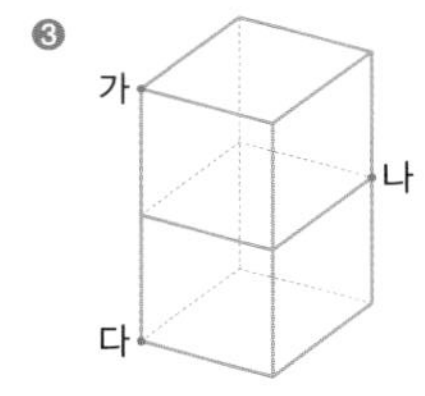

36 가지

가 ➡ 나: 6가지
나 ➡ 다: 6가지
따라서 가 ➡ 나 ➡ 다: 6 × 6 = 36(가지)

❹

72 가지

가 ➡ 나: 12가지
나 ➡ 다: 6가지
따라서 가 ➡ 나 ➡ 다: 12 × 6 = 72(가지)

3주차 합의 가짓수

DAY 1 합이 되는 수 (1)

pensées

주어진 수를 이용하여 합이 되는 수를 모두 만들어 보세요. 수를 모두 사용할 필요는 없지만 같은 수를 여러 번 사용할 수 없습니다.

1, 2, 5

1, 2, 3, 5, 6, 7, 8

더하는 수의 개수	합이 되는 수
1개	1, 2, 5
2개	1+2=3, 1+5=6, 2+5=7
3개	1+2+5=8

수를 1개, 2개, 3개 사용하여 합을 만들어 봐.

❶ 1, 4, 7

1, 4, 5, 7, 8, 11, 12

더하는 수의 개수	합이 되는 수
1개	1, 4, 7
2개	1+4=5, 1+7=8, 4+7=11
3개	1+4+7=12

❷ 1, 2, 3

1, 2, 3, 4, 5, 6

더하는 수의 개수	합이 되는 수
1개	1, 2, 3
2개	1+2=3, 1+3=4, 2+3=5
3개	1+2+3=6

❸ 2, 4, 6

2, 4, 6, 8, 10, 12

더하는 수의 개수	합이 되는 수
1개	2, 4, 6
2개	2+4=6, 2+6=8, 4+6=10
3개	2+4+6=12

❹ 1, 5, 7

1, 5, 6, 7, 8, 12, 13

더하는 수의 개수	합이 되는 수
1개	1, 5, 7
2개	1+5=6, 1+7=8, 5+7=12
3개	1+5+7=13

❺ 1, 2, 3, 4

1, 2, 3, 4, 5, 6, 7, 8, 9, 10

더하는 수의 개수	합이 되는 수
1개	1, 2, 3, 4
2개	1+2=3, 1+3=4, 1+4=5, 2+3=5, 2+4=6, 3+4=7
3개	1+2+3=6, 1+2+4=7, 1+3+4=8, 2+3+4=9
4개	1+2+3+4=10

❻ 1, 3, 5, 7

1, 3, 4, 5, 6, 7, 8, 9, 10, 11, 12, 13, 15, 16

더하는 수의 개수	합이 되는 수
1개	1, 3, 5, 7
2개	1+3=4, 1+5=6, 1+7=8, 3+5=8, 3+7=10, 5+7=12
3개	1+3+5=9, 1+3+7=11, 1+5+7=13, 3+5+7=15
4개	1+3+5+7=16

DAY 2 합이 되는 수 (2)

다음과 같은 과녁에 화살을 3번 쏘아 모두 맞혔습니다. 맞힌 점수의 합이 되는 수를 모두 구해 보세요.

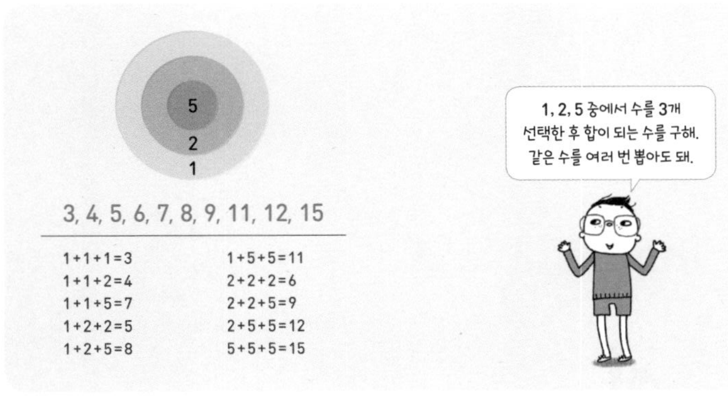

5
2
1
3, 4, 5, 6, 7, 8, 9, 11, 12, 15
1+1+1=3
1+1+2=4
1+1+5=7
1+2+2=5
1+2+5=8
1+5+5=11
2+2+2=6
2+2+5=9
2+5+5=12
5+5+5=15
1, 2, 5 중에서 수를 3개
선택한 후 합이 되는 수를 구해.
같은 수를 여러 번 뽑아도 돼.

❶

3
2
1

3, 4, 5, 6, 7, 8, 9

1+1+1=3
1+1+2=4
1+1+3=5
1+2+2=5
1+2+3=6
1+3+3=7
2+2+2=6
2+2+3=7
2+3+3=8
3+3+3=9

❷

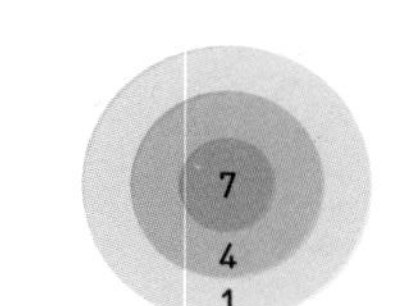
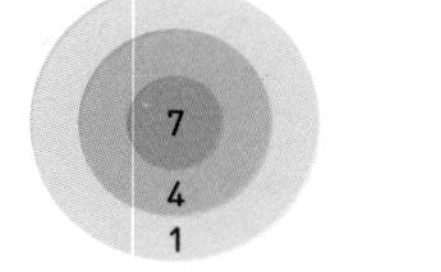

3, 6, 9, 12, 15, 18, 21

1+1+1=3
1+1+4=6
1+1+7=9
1+4+4=9
1+4+7=12
1+7+7=15
4+4+4=12
4+4+7=15
4+7+7=18
7+7+7=21

❸

5
4
2

6, 8, 9, 10, 11, 12, 13, 14, 15

2+2+2=6
2+2+4=8
2+2+5=9
2+4+4=10
2+4+5=11
2+5+5=12
4+4+4=12
4+4+5=13
4+5+5=14
5+5+5=15

❹

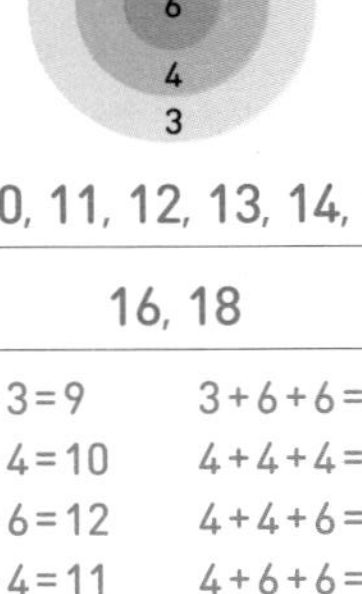

9, 10, 11, 12, 13, 14, 15, 16, 18

3+3+3=9
3+3+4=10
3+3+6=12
3+4+4=11
3+4+6=13
3+6+6=15
4+4+4=12
4+4+6=14
4+6+6=16
6+6+6=18

❺

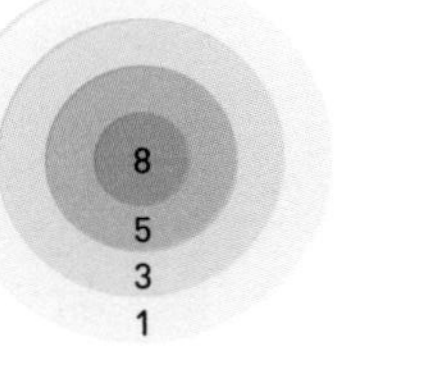

3, 5, 7, 9, 10, 11, 12, 13, 14, 15, 16, 17, 18, 19, 21, 24

1+1+1=3
1+1+3=5
1+1+5=7
1+1+8=10
1+3+3=7
1+3+5=9
1+3+8=12
1+5+5=11
1+5+8=14
1+8+8=17
3+3+3=9
3+3+5=11
3+3+8=14
3+5+5=13
3+5+8=16
3+8+8=19
5+5+5=15
5+5+8=18
5+8+8=21
8+8+8=24

수가 4개로 늘었어.
점수의 합이 되는 경우가 많아지니까 꼼꼼히 찾아보도록 해.

3주차 합의 가짓수

DAY 3 합의 가짓수 (1)

pensées

서로 다른 세 수의 합이 다음 수가 되는 경우는 몇 가지인지 구해 보세요. 순서만 바뀐 것은 한 가지로 생각합니다.

10

1부터 시작하여 세 수의 합이 10이 되도록 찾아봅니다.

1+2+7=10
1+3+6=10
1+4+5=10
2+3+5=10

화살표 방향으로 큰 수가 오도록 식을 세우면 중복되지 않게 찾을 수 있습니다.

4 가지

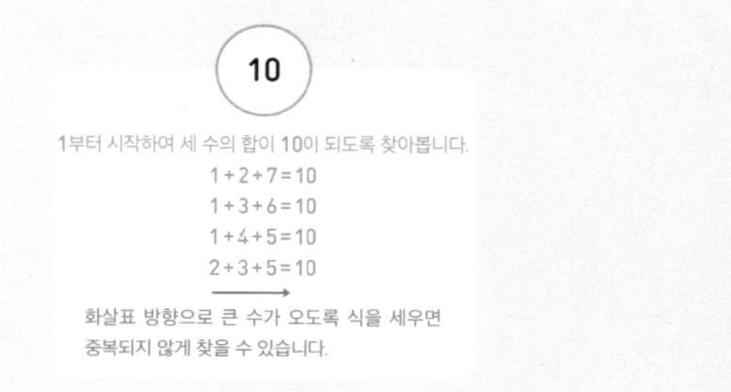

1+2+7, 1+7+2와 같이 순서만 바뀐 것은 한 가지로 생각해야 해.

❶ 8

1+2+5=8
1+3+4=8

2 가지

❷ 9

1+2+6=9
1+3+5=9
2+3+4=9

3 가지

❸ 11

1+2+8=11
1+3+7=11
1+4+6=11
2+3+6=11
2+4+5=11

5 가지

❹ 12

1+2+9=12
1+3+8=12
1+4+7=12
1+5+6=12
2+3+7=12
2+4+6=12
3+4+5=12

7 가지

❺ 13

1+2+10=13
1+3+9=13
1+4+8=13
1+5+7=13
2+3+8=13
2+4+7=13
2+5+6=13
3+4+6=13

8 가지

❻ 14

1+2+11=14
1+3+10=14
1+4+9=14
1+5+8=14
1+6+7=14
2+3+9=14
2+4+8=14
2+5+7=14
3+4+7=14
3+5+6=14

10 가지

DAY 4 합의 가짓수 (2)

세 수의 합이 다음 수가 되는 경우는 몇 가지인지 구해 보세요. 같은 수를 여러 번 더해도 되고, 순서만 바뀐 것은 한 가지로 생각합니다.

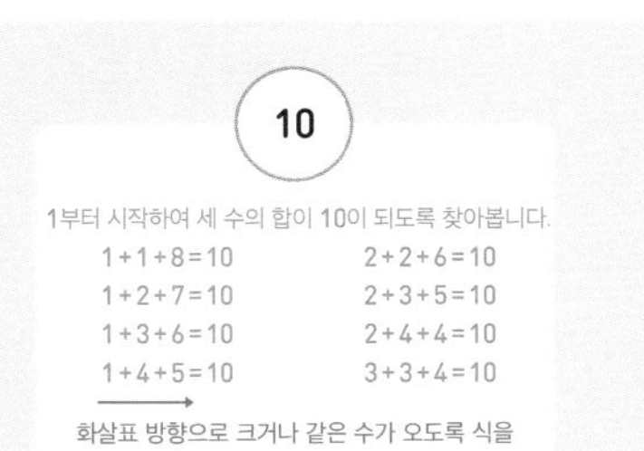

8 가지

앞 문제와 차이점은
1+1+8과 같이 같은 수를
여러 번 더해도 된다는 것.

❶ 6

1+1+4=6
1+2+3=6
2+2+2=6

3 가지

❷ 7

1+1+5=7
1+2+4=7
1+3+3=7
2+2+3=7

4 가지

❸ 8

1+1+6=8
1+2+5=8
1+3+4=8
2+2+4=8
2+3+3=8

5 가지

❹ 9

1+1+7=9
1+2+6=9
1+3+5=9
1+4+4=9
2+2+5=9
2+3+4=9
3+3+3=9

7 가지

❺ 11

1+1+9=11
1+2+8=11
1+3+7=11
1+4+6=11
1+5+5=11
2+2+7=11
2+3+6=11
2+4+5=11
3+3+5=11
3+4+4=11

10 가지

❻ 12

1+1+10=12
1+2+9=12
1+3+8=12
1+4+7=12
1+5+6=12
2+2+8=12
2+3+7=12
2+4+6=12
2+5+5=12
3+3+6=12
3+4+5=12
4+4+4=12

12 가지

DAY 5 목표 점수의 가짓수

다음과 같은 과녁에 화살을 4번 쏘아 모두 맞혔습니다. ◯ 안의 수만큼 점수를 얻는 방법의 수를 구해 보세요.

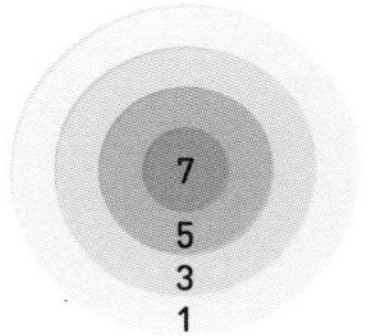

(10)

1부터 시작하여 네 수의 합이 10이 되도록 찾아봅니다.

1+1+1+7=10
1+1+3+5=10
1+3+3+3=10

[3] 가지

더하는 수를 찾을 때, 경우를 빠뜨리지 않도록 주의해.

❶ (14)

1+1+5+7=14
1+3+3+7=14
1+3+5+5=14
3+3+3+5=14

[4] 가지

❷ (16)

1+1+7+7=16
1+3+5+7=16
1+5+5+5=16
3+3+3+7=16
3+3+5+5=16

[5] 가지

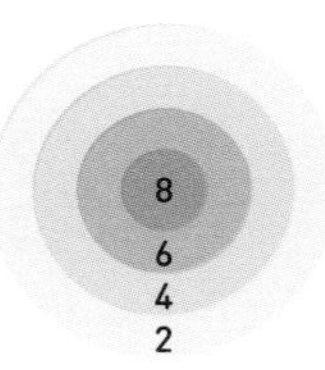

❸ (14)

2+2+2+8=14
2+2+4+6=14
2+4+4+4=14

[3] 가지

❹ (18)

2+2+6+8=18
2+4+4+8=18
2+4+6+6=18
4+4+4+6=18

[4] 가지

❺ (20)

2+2+8+8=20
2+4+6+8=20
2+6+6+6=20
4+4+4+8=20
4+4+6+6=20

[5] 가지

❻ (28)

4+8+8+8=28
6+6+8+8=28

[2] 가지

3 주차

확인학습

세 수의 합이 다음 수가 되는 경우는 몇 가지인지 구해 보세요. 같은 수를 여러 번 더해도 되고, 순서만 바뀐 것은 한 가지로 생각합니다.

❶ 13

1+1+11=13
1+2+10=13
1+3+9=13
1+4+8=13
1+5+7=13
1+6+6=13
2+2+9=13
2+3+8=13
2+4+7=13
2+5+6=13
3+3+7=13
3+4+6=13
3+5+5=13
4+4+5=13

14 가지

❷ 15

1+1+13=15
1+2+12=15
1+3+11=15
1+4+10=15
1+5+9=15
1+6+8=15
1+7+7=15
2+2+11=15
2+3+10=15
2+4+9=15
2+5+8=15
2+6+7=15
3+3+9=15
3+4+8=15
3+5+7=15
3+6+6=15
4+4+7=15
4+5+6=15
5+5+5=15

19 가지

오른쪽과 같은 과녁에 화살을 4번 쏘아 모두 맞혔습니다. ◯ 안의 수만큼 점수를 얻는 방법의 수를 구해 보세요.

4
3
2
1

❸ 10

1+1+4+4=10
1+2+3+4=10
1+3+3+3=10
2+2+2+4=10
2+2+3+3=10

5 가지

❹ 11

1+2+4+4=11
1+3+3+4=11
2+2+3+4=11
2+3+3+3=11

4 가지

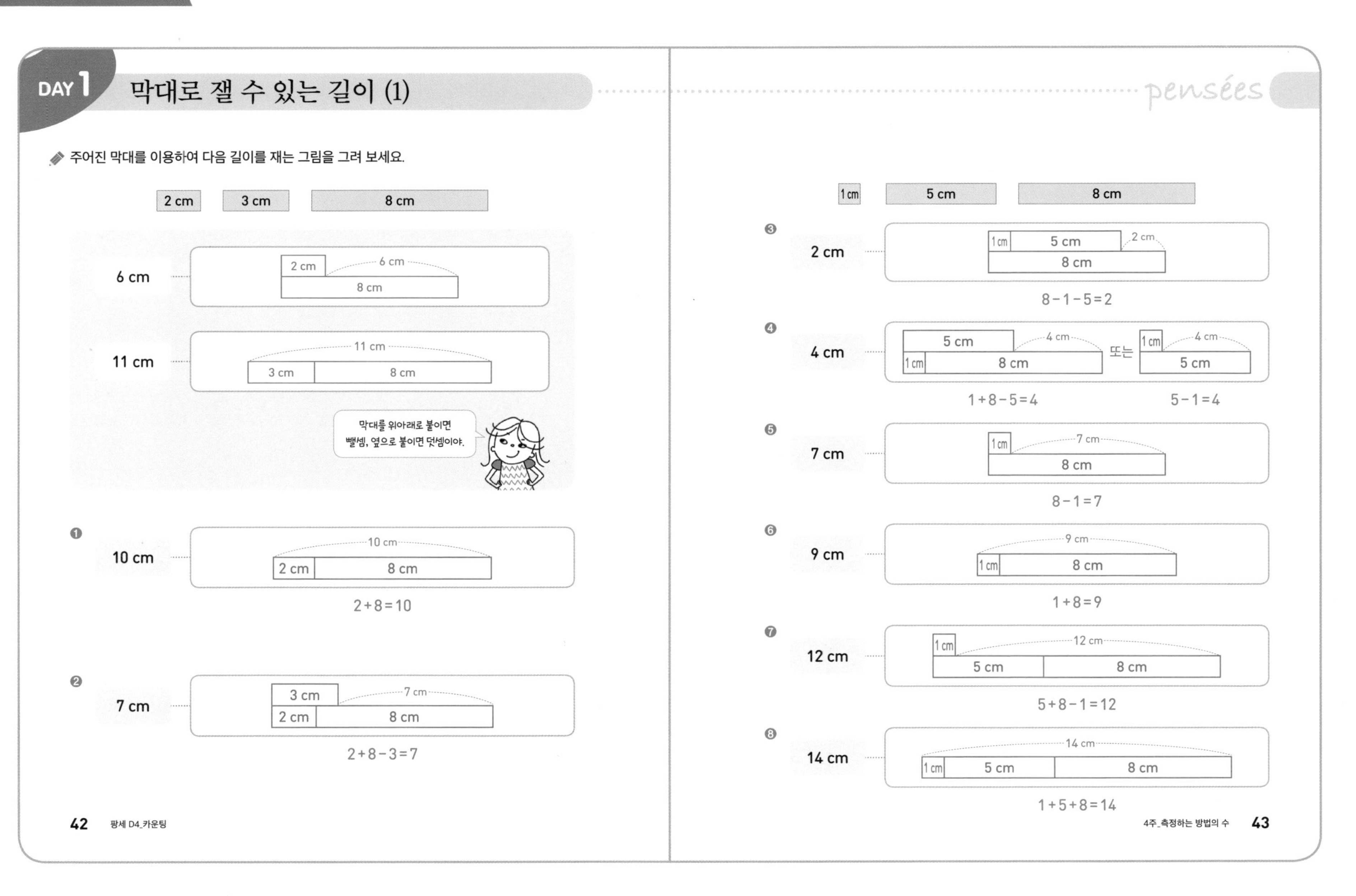
DAY 1
막대로 잴 수 있는 길이 (1)
주어진 막대를 이용하여 다음 길이를 재는 그림을 그려 보세요.
2 cm
3 cm
8 cm
6 cm
11 cm
막대를 위아래로 붙이면 뺄셈, 옆으로 붙이면 덧셈이야.
❶ 10 cm
2+8=10
❷ 7 cm
2+8−3=7
pensées
1 cm
5 cm
8 cm
❸ 2 cm
8−1−5=2
❹ 4 cm
또는
1+8−5=4
5−1=4
❺ 7 cm
8−1=7
❻ 9 cm
1+8=9
❼ 12 cm
5+8−1=12
❽ 14 cm
1+5+8=14

DAY 2

막대로 잴 수 있는 길이 (2)

막대가 다음과 같이 있습니다. 이 막대를 이용하여 잴 수 있는 길이는 모두 몇 가지인지 표를 이용하여 구해 보세요.

2 cm　5 cm

잴 수 있는 길이	방법	잴 수 있는 길이	방법
1 cm	×	5 cm	5
2 cm	2	6 cm	×
3 cm	5−2	7 cm	5+2
4 cm	×		

4 가지

+, −를 이용하여 표를 완성해.

잴 수 있는 길이는 2 cm, 3 cm, 5 cm, 7 cm입니다.

❶ 1 cm　2 cm　4 cm

잴 수 있는 길이	방법	잴 수 있는 길이	방법
1 cm	1	5 cm	4+1
2 cm	2	6 cm	4+2
3 cm	2+1	7 cm	4+2+1
4 cm	4		

7 가지

❷ 2 cm　2 cm　5 cm

잴 수 있는 길이	방법	잴 수 있는 길이	방법
1 cm	5−2−2	6 cm	×
2 cm	2	7 cm	5+2
3 cm	5−2	8 cm	×
4 cm	2+2	9 cm	5+2+2
5 cm	5		

7 가지

❸ 1 cm　3 cm　6 cm

잴 수 있는 길이	방법	잴 수 있는 길이	방법
1 cm	1	6 cm	6
2 cm	3−1	7 cm	6+1
3 cm	3	8 cm	6+3−1
4 cm	3+1	9 cm	6+3
5 cm	6−1	10 cm	6+3+1

10 가지

❹ 3 cm　4 cm　9 cm

잴 수 있는 길이	방법	잴 수 있는 길이	방법
1 cm	4−3	9 cm	9
2 cm	9−3−4	10 cm	9+4−3
3 cm	3	11 cm	×
4 cm	4	12 cm	9+3
5 cm	9−4	13 cm	9+4
6 cm	9−3	14 cm	×
7 cm	4+3	15 cm	×
8 cm	9+3−4	16 cm	9+4+3

13 가지

❺ 2 cm　6 cm　11 cm

잴 수 있는 길이	방법	잴 수 있는 길이	방법	잴 수 있는 길이	방법
1 cm	×	8 cm	6+2	14 cm	×
2 cm	2	9 cm	11−2	15 cm	11+6−2
3 cm	11−2−6	10 cm	×	16 cm	×
4 cm	6−2	11 cm	11	17 cm	11+6
5 cm	11−6	12 cm	×	18 cm	×
6 cm	6	13 cm	11+2	19 cm	11+6+2
7 cm	11+2−6				

13 가지

4주차 측정하는 방법의 수

DAY 3 연결자로 잴 수 있는 길이

다음 도구는 3가지 길이의 철사가 이어져 있고 연결 부위는 자유롭게 움직일 수 있는 연결자입니다. 이 연결자를 이용하여 잴 수 있는 길이는 모두 몇 가지인지 표를 이용하여 구해 보세요.

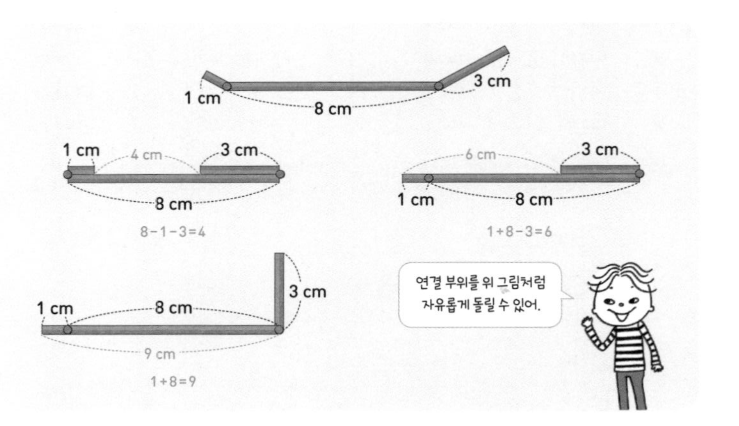

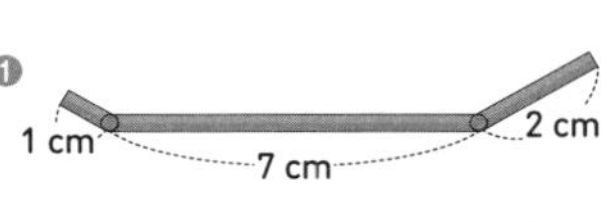

연결 부위를 위 그림처럼 자유롭게 돌릴 수 있어.

❶ (1 cm, 7 cm, 2 cm)

잴 수 있는 길이	방법	잴 수 있는 길이	방법
1 cm	1	6 cm	7−1
2 cm	2	7 cm	7
3 cm	×	8 cm	7+1
4 cm	7−1−2	9 cm	7+2
5 cm	7−2	10 cm	7+1+2

9 가지

❷ (1 cm, 10 cm, 2 cm, 5 cm)

잴 수 있는 길이	방법	잴 수 있는 길이	방법	잴 수 있는 길이	방법
1 cm	1	7 cm	10−1−2	12 cm	10+2
2 cm	2	8 cm	10−2	13 cm	10+2+1
3 cm	5−2	9 cm	10−1	14 cm	10+5−1
4 cm	10−1−5	10 cm	10	15 cm	10+5
5 cm	5	11 cm	10+1	16 cm	10+5+1
6 cm	10+1−5				

16 가지

❸ (3 cm, 2 cm, 15 cm, 6 cm)

잴 수 있는 길이	방법	잴 수 있는 길이	방법	잴 수 있는 길이	방법
1 cm	3−2	9 cm	15−6	17 cm	15+2
2 cm	2	10 cm	×	18 cm	15+3
3 cm	3	11 cm	15+2−6	19 cm	15+6−2
4 cm	×	12 cm	15−3	20 cm	×
5 cm	3+2	13 cm	15−2	21 cm	15+6
6 cm	6	14 cm	×	22 cm	×
7 cm	15−2−6	15 cm	15	23 cm	15+6+2
8 cm	×	16 cm	×	24 cm	15+6+3

17 가지

DAY 4 잴 수 있는 무게 (1)

✎ 오른쪽 그림과 같이 무게를 잴 수 있는 양팔저울이 있습니다. 다음 여러 가지 무게의 추를 양팔저울의 오른쪽에, 물건은 왼쪽에 올려서 무게를 잴 때, 잴 수 있는 무게는 모두 몇 가지인지 구해 보세요.

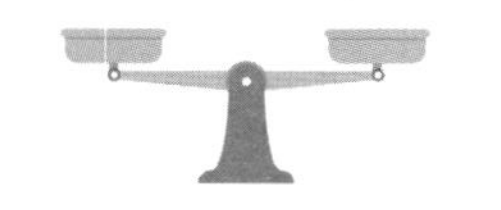
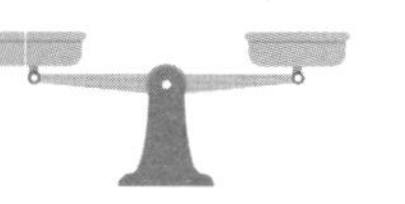

1g 4g 8g

7 가지

추의 수	잴 수 있는 무게 (g)
1개	1, 4, 8
2개	1+4=5, 1+8=9, 4+8=12
3개	1+4+8=13

따라서 잴 수 있는 무게는 1 g, 4 g, 5 g, 8 g, 9 g, 12 g, 13 g으로 7가지입니다.

1 g, 4 g의 추를 한쪽에 같이 올리면 1+4=5(g)의 무게를 잴 수 있어.

❶

1g 2g 4g

7 가지

추의 수	잴 수 있는 무게 (g)
1개	1, 2, 4
2개	1+2=3, 1+4=5, 2+4=6
3개	1+2+4=7

❷

6 가지

추의 수	잴 수 있는 무게 (g)
1개	1, 4, 5
2개	1+4=5, 1+5=6, 4+5=9
3개	1+4+5=10

5 g이 두 번 나오는 것에 주의합니다.

❸

2g 2g 5g

5 가지

추의 수	잴 수 있는 무게 (g)
1개	2, 5
2개	2+2=4, 2+5=7
3개	2+2+5=9

❹

1g 4g 4g

5 가지

추의 수	잴 수 있는 무게 (g)
1개	1, 4
2개	1+4=5, 4+4=8
3개	1+4+4=9

❺

15 가지

추의 수	잴 수 있는 무게 (g)
1개	1, 2, 4, 8
2개	1+2=3, 1+4=5, 1+8=9, 2+4=6, 2+8=10, 4+8=12
3개	1+2+4=7, 1+2+8=11, 1+4+8=13, 2+4+8=14
4개	1+2+4+8=15

❻

2g 2g 4g 7g

9 가지

추의 수	잴 수 있는 무게 (g)
1개	2, 4, 7
2개	2+2=4, 2+4=6, 2+7=9, 4+7=11
3개	2+2+4=8, 2+2+7=11, 2+4+7=13
4개	2+2+4+7=15

4 g, 11 g이 두 번 나오는 것에 주의합니다.

4주차 측정하는 방법의 수

DAY 5 잴 수 있는 무게 (2)

오른쪽 그림과 같이 무게를 잴 수 있는 양팔저울이 있습니다. 다음 여러 가지 무게의 추를 양팔저울의 양쪽에 올려서 무게를 잴 때, 잴 수 있는 무게는 모두 몇 가지인지 표를 이용하여 구해 보세요.

물건의 무게는 4－1＝3(g)입니다.

물건의 무게는 3＋5－2＝6(g)입니다.

양쪽에 추를 놓을 때는 뺄셈을 사용하면 돼.

❶

잴 수 있는 무게	방법	잴 수 있는 무게	방법	잴 수 있는 무게	방법
1 g	1	6 g	×	10 g	×
2 g	×	7 g	8－1	11 g	8＋4－1
3 g	4－1	8 g	8	12 g	8＋4
4 g	4	9 g	8＋1	13 g	8＋4＋1
5 g	4＋1				

10 가지

❷

2g 4g 9g

잴 수 있는 무게	방법	잴 수 있는 무게	방법	잴 수 있는 무게	방법
1 g	×	6 g	4＋2	11 g	9＋2
2 g	2	7 g	9－2	12 g	×
3 g	9－4－2	8 g	×	13 g	9＋4
4 g	9	9 g	9	14 g	×
5 g	9－4	10 g	×	15 g	9＋4＋2

10 가지

❸

1g 3g 9g

잴 수 있는 무게	방법	잴 수 있는 무게	방법	잴 수 있는 무게	방법
1 g	1	6 g	9－3	10 g	9＋1
2 g	3－1	7 g	9＋1－3	11 g	9＋3－1
3 g	3	8 g	9－1	12 g	9＋3
4 g	3＋1	9 g	9	13 g	9＋3＋1
5 g	9－3－1				

13 가지

4 주차

확인학습

연결자를 이용하여 잴 수 있는 길이는 모두 몇 가지인지 표를 완성한 후 구해 보세요.

❶

3 cm
2 cm
8 cm
4 cm

잴 수 있는 길이	방법	잴 수 있는 길이	방법	잴 수 있는 길이	방법
1 cm	3−2	6 cm	8−2	11 cm	8+3
2 cm	2	7 cm	8+3−4	12 cm	8+4
3 cm	3	8 cm	8	13 cm	×
4 cm	4	9 cm	8+4−3	14 cm	8+4+2
5 cm	8−3	10 cm	8+2	15 cm	8+4+3

14 가지

여러 가지 무게의 추를 양팔저울의 양쪽에 올려서 무게를 잴 때,
잴 수 있는 무게는 모두 몇 가지인지 표를 이용하여 구해 보세요.

❷

2 g
3 g
7 g

잴 수 있는 무게	방법	잴 수 있는 무게	방법	잴 수 있는 무게	방법
1 g	3−2	5 g	7−2	9 g	7+2
2 g	2	6 g	7+2−3	10 g	7+3
3 g	3	7 g	7	11 g	×
4 g	7−3	8 g	7+3−2	12 g	7+3−2

11 가지

마무리 평가

TEST 1 마무리 평가

제한 시간 15분
맞은 개수 / 8개

✤ 방은 점으로, 문은 점과 점을 연결하는 선으로 나타낸 다음 홀수점을 찾아 ○표 하세요.

❶

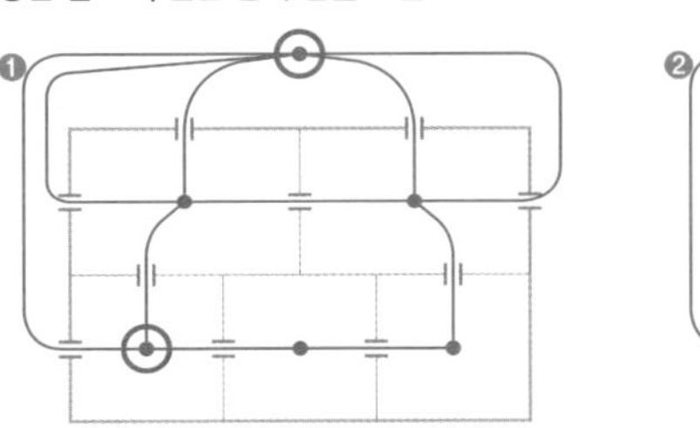

❷

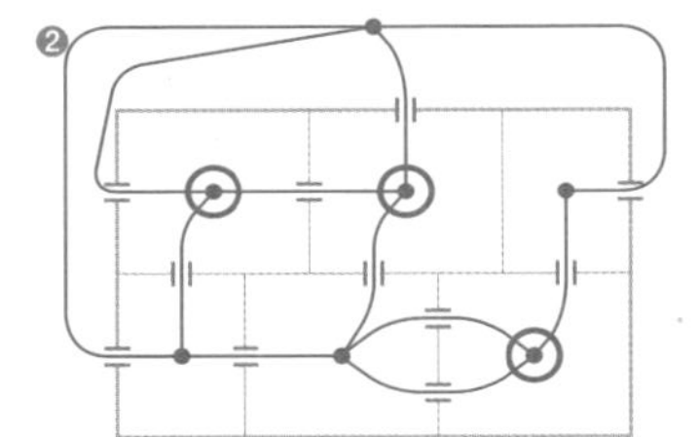

✤ 가에서 나를 지나 다까지 가는 최단 거리의 수를 구해 보세요.

❸

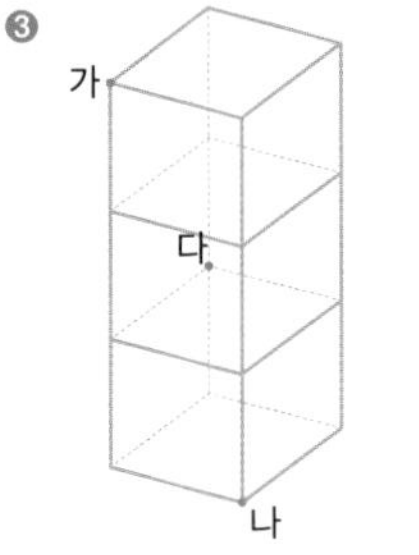

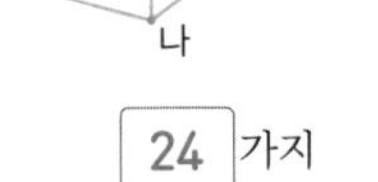

24 가지

가 ➡ 나: 4가지
나 ➡ 다: 6가지
따라서 가 ➡ 나 ➡ 다: $4\times6=24$(가지)

❹

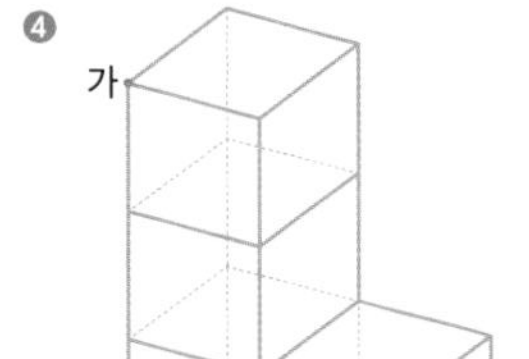

120 가지

가 ➡ 나: 20가지
나 ➡ 다: 6가지
따라서 가 ➡ 나 ➡ 다: $20\times6=120$(가지)

✤ 주어진 수를 이용하여 합이 되는 수를 모두 만들어 보세요. 수를 모두 사용할 필요는 없지만 같은 수를 여러 번 사용할 수 없습니다.

❺ 1, 3, 5

1, 3, 4, 5, 6, 8, 9

더하는 수의 개수	합이 되는 수
1개	1, 3, 5
2개	1+3=4, 1+5=6, 3+5=8
3개	1+3+5=9

❻ 1, 3, 6, 8

1, 3, 4, 6, 7, 8, 9, 10, 11, 12, 14, 15, 17, 18

더하는 수의 개수	합이 되는 수
1개	1, 3, 6, 8
2개	1+3=4, 1+6=7, 1+8=9, 3+6=9, 3+8=11, 6+8=14
3개	1+3+6=10, 1+3+8=12, 1+6+8=15, 3+6+8=17
4개	1+3+6+8=18

✤ 주어진 막대를 이용하여 다음 길이를 재는 그림을 그려 보세요.

2 cm 3 cm 9 cm

❼ 6 cm

3 cm / 9 cm / 6 cm

$9-3=6$

❽ 10 cm

2 cm / 3 cm / 9 cm / 10 cm

$3+9-2=10$

마무리 평가

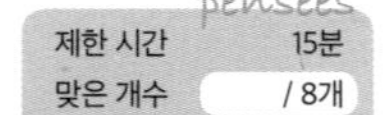

✤ 한붓그리기가 가능한 도형이 되도록 선을 하나 그어 보세요.

❶

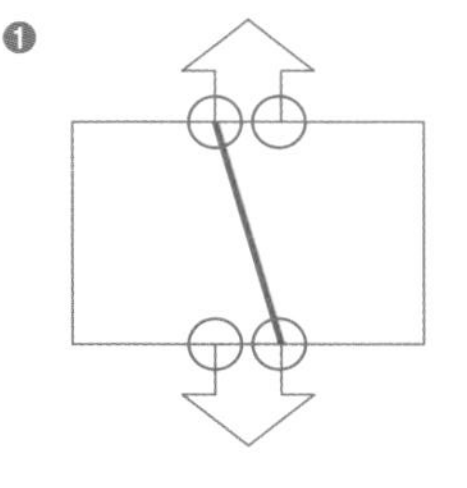

❷

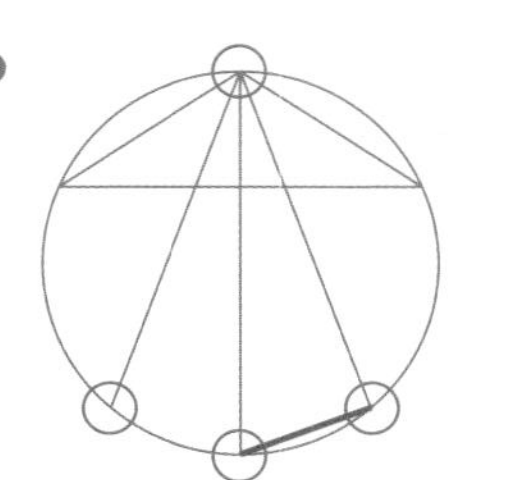

이 외에도 여러 가지 방법이 있습니다.

✤ 가에서 나를 지나 다까지 가는 최단 거리의 수를 구해 보세요.

❸

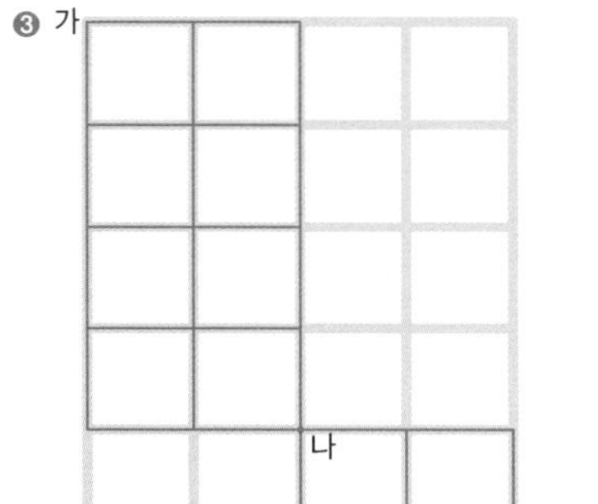
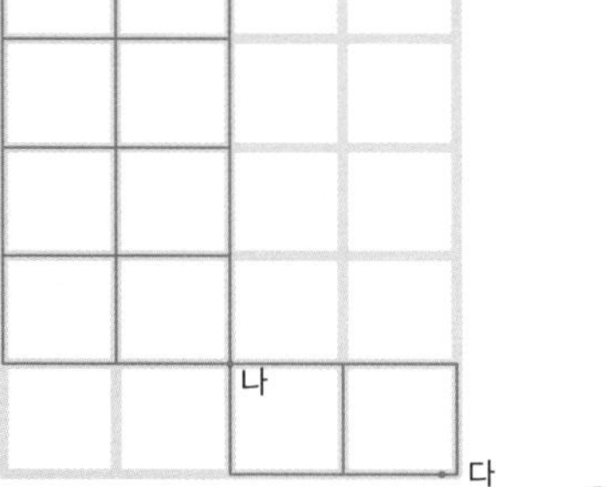

45 가지

가 ➡ 나: 5 + 4 + 3 + 2 + 1 = 15(가지)

나 ➡ 다: 2 + 1 = 3(가지)

따라서 가 ➡ 나 ➡ 다: 15 × 3 = 45(가지)

❹

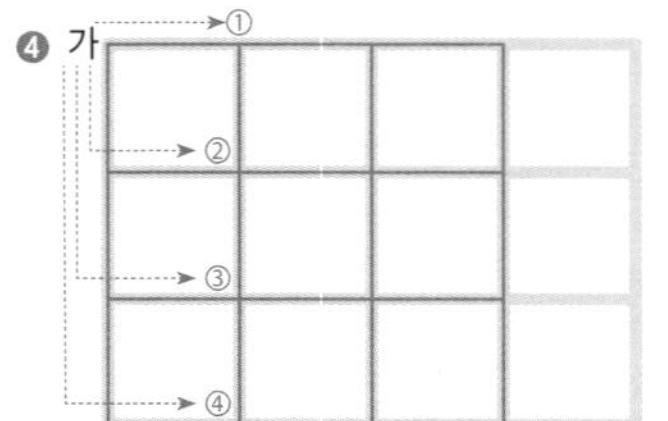

40 가지

① ➡ 나: 4 + 3 + 2 + 1 = 10(가지)

② ➡ 나: 3 + 2 + 1 = 6(가지)

③ ➡ 나: 2 + 1 = 3(가지)

④ ➡ 나: 1가지

가 ➡ 나: 10 + 6 + 3 + 1 = 20(가지)

나 ➡ 다: 2가지

따라서 가 ➡ 나 ➡ 다: 20 × 2 = 40(가지)

✤ 다음과 같은 과녁에 화살을 3번 쏘아 모두 맞혔습니다. 맞힌 점수의 합이 되는 수를 모두 구해 보세요.

❺

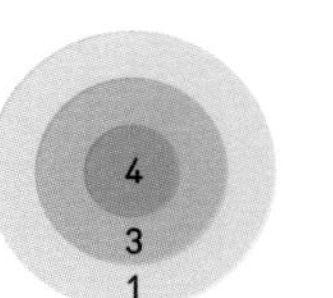

3, 5, 6, 7, 8, 9, 10, 11, 12

1 + 1 + 1 = 3　　1 + 4 + 4 = 9
1 + 1 + 3 = 5　　3 + 3 + 3 = 9
1 + 1 + 4 = 6　　3 + 3 + 4 = 10
1 + 3 + 3 = 7　　3 + 4 + 4 = 11
1 + 3 + 4 = 8　　4 + 4 + 4 = 12

❻

5 / 3 / 2

6, 7, 8, 9, 10, 11, 12, 13, 15

2 + 2 + 2 = 6　　2 + 5 + 5 = 12
2 + 2 + 3 = 7　　3 + 3 + 3 = 9
2 + 2 + 5 = 9　　3 + 3 + 5 = 11
2 + 3 + 3 = 8　　3 + 5 + 5 = 13
2 + 3 + 5 = 10　　5 + 5 + 5 = 15

✤ 여러 가지 무게의 추를 양팔저울의 오른쪽에, 물건은 왼쪽에 올려서 무게를 잴 때, 잴 수 있는 무게는 모두 몇 가지인지 구해 보세요.

❼

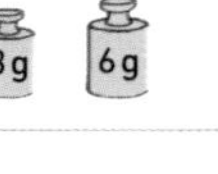
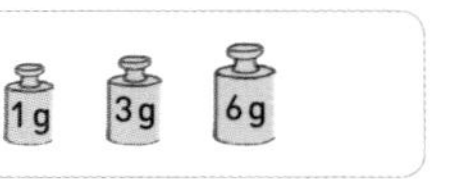

7 가지

추의 수	잴 수 있는 무게 (g)
1개	1, 3, 6
2개	1 + 3 = 4, 1 + 6 = 7, 3 + 6 = 9
3개	1 + 3 + 6 = 10

❽

3g　3g　7g

5 가지

추의 수	잴 수 있는 무게 (g)
1개	3, 7
2개	3 + 3 = 6, 3 + 7 = 10
3개	3 + 3 + 7 = 13

TEST 3 마무리 평가

제한 시간 15분
맞은 개수 / 7개

✤ 육지와 섬은 점으로, 다리는 점과 점을 연결하는 선으로 나타낸 다음 홀수점을 찾아 ○표 하세요.

❶

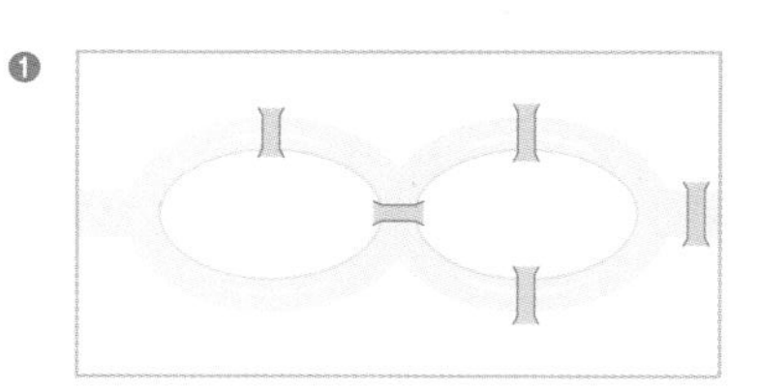

➡

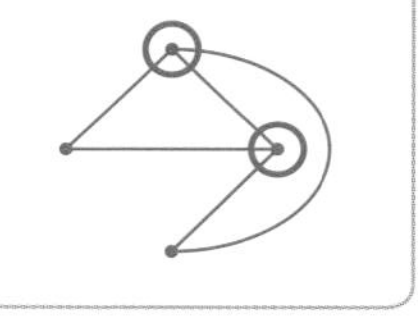

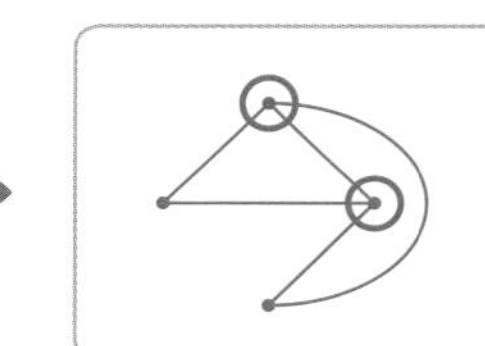

❷

➡

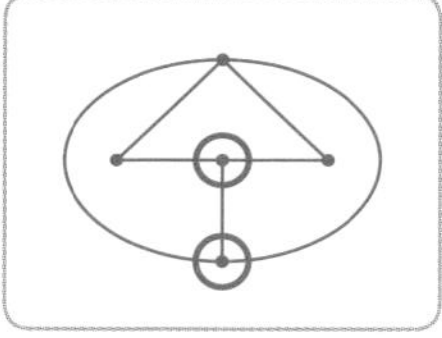

그림이 달라도 점을 연결하는 선의 개수가 같으면 정답입니다.

✤ 가에서 나까지 가는 최단 거리의 수를 구해 보세요.

❸

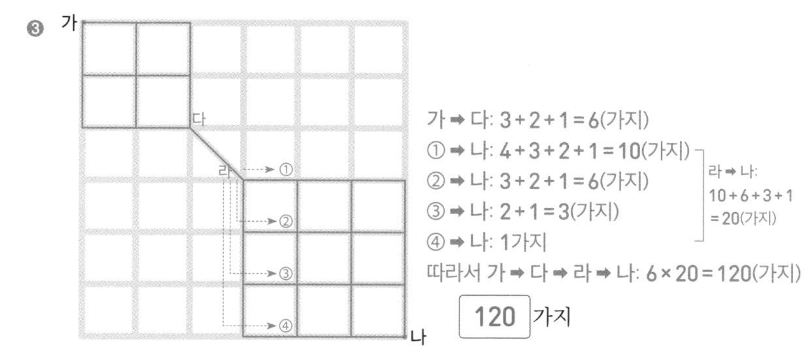

가 ➡ 다: 3+2+1=6(가지)
① ➡ 나: 4+3+2+1=10(가지)
② ➡ 나: 3+2+1=6(가지)
③ ➡ 나: 2+1=3(가지)
④ ➡ 나: 1가지

라 ➡ 나: 10+6+3+1=20(가지)

따라서 가 ➡ 다 ➡ 라 ➡ 나: 6×20=120(가지)

120 가지

✤ 서로 다른 세 수의 합이 다음 수가 되는 경우는 몇 가지인지 구해 보세요. 순서만 바뀐 것은 한 가지로 생각합니다.

❹ 15

1+2+12=15
1+3+11=15
1+4+10=15
1+5+9=15
1+6+8=15
2+3+10=15
2+4+9=15
2+5+8=15
2+6+7=15
3+4+8=15
3+5+7=15
4+5+6=15

12 가지

❺ 16

1+2+13=16
1+3+12=16
1+4+11=16
1+5+10=16
1+6+9=16
1+7+8=16
2+3+11=16
2+4+10=16
2+5+9=16
2+6+8=16
3+4+9=16
3+5+8=16
3+6+7=16
4+5+7=16

14 가지

✤ 막대가 다음과 같이 있습니다. 이 막대를 이용하여 잴 수 있는 길이는 모두 몇 가지인지 표를 이용하여 구해 보세요.

❻ 1 cm, 3 cm, 8 cm

잴 수 있는 길이	방법	잴 수 있는 길이	방법
1 cm	1	7 cm	8−1
2 cm	3−1	8 cm	8
3 cm	3	9 cm	8+1
4 cm	3+1	10 cm	8+3−1
5 cm	8−3	11 cm	8+3
6 cm	8−3+1	12 cm	8+3+1

12 가지

❼ 2 cm, 4 cm, 7 cm

잴 수 있는 길이	방법	잴 수 있는 길이	방법
1 cm	7−4−2	8 cm	×
2 cm	2	9 cm	7+2
3 cm	7−4	10 cm	×
4 cm	4	11 cm	7+4
5 cm	7−2	12 cm	×
6 cm	4+2	13 cm	7+4+2
7 cm	7		

10 가지

TEST 4

마무리 평가

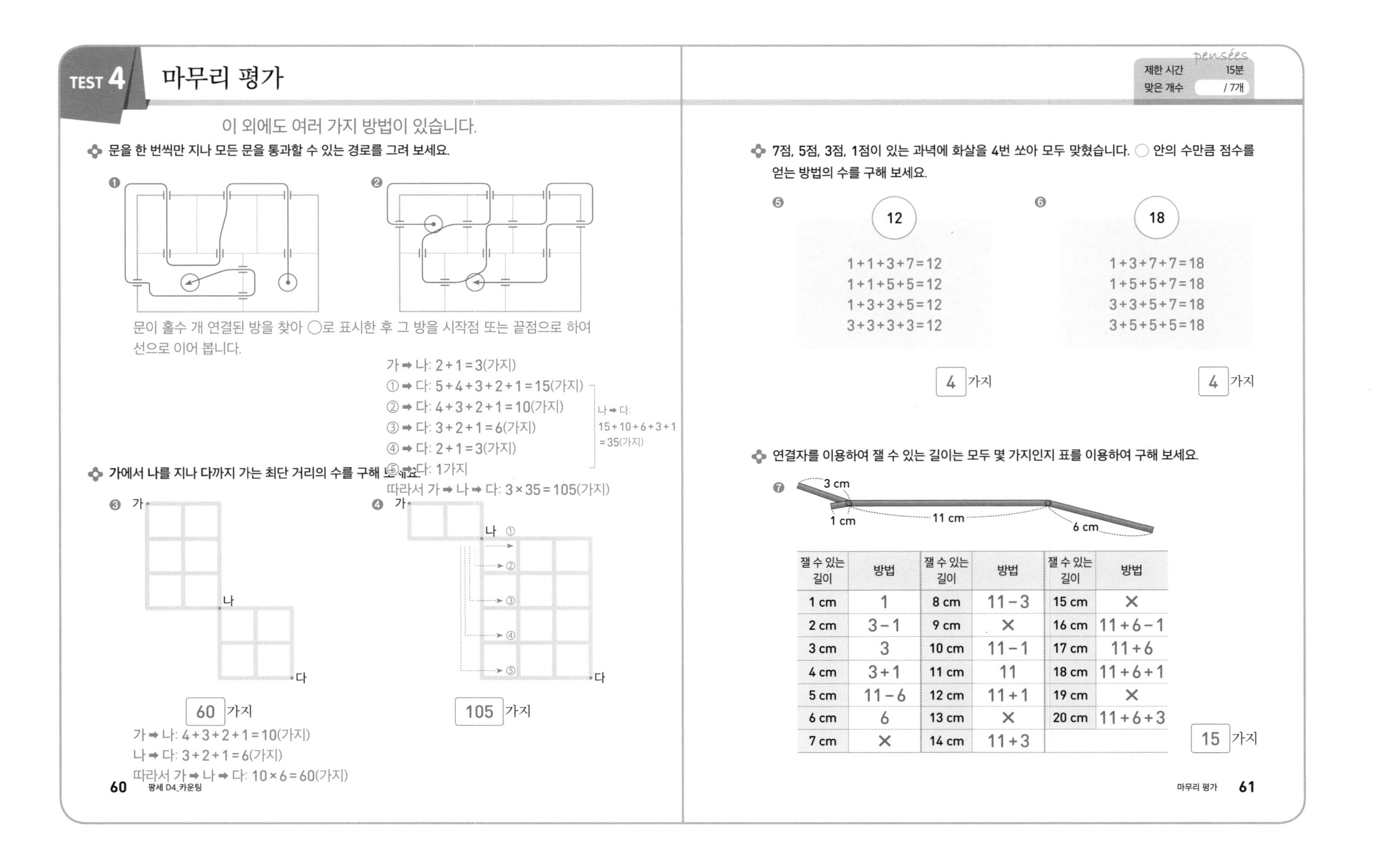

이 외에도 여러 가지 방법이 있습니다.

❖ 문을 한 번씩만 지나 모든 문을 통과할 수 있는 경로를 그려 보세요.

❶ ❷

문이 홀수 개 연결된 방을 찾아 ◯로 표시한 후 그 방을 시작점 또는 끝점으로 하여 선으로 이어 봅니다.

❖ 가에서 나를 지나 다까지 가는 최단 거리의 수를 구해 보세요.

❸ 60 가지

가 ➡ 나: 4+3+2+1=10(가지)
나 ➡ 다: 3+2+1=6(가지)
따라서 가 ➡ 나 ➡ 다: 10×6=60(가지)

❹ 105 가지

가 ➡ 나: 2+1=3(가지)
① ➡ 다: 5+4+3+2+1=15(가지)
② ➡ 다: 4+3+2+1=10(가지)
③ ➡ 다: 3+2+1=6(가지)
④ ➡ 다: 2+1=3(가지)
⑤ ➡ 다: 1가지
나 ➡ 다: 15+10+6+3+1=35(가지)
따라서 가 ➡ 나 ➡ 다: 3×35=105(가지)

❖ 7점, 5점, 3점, 1점이 있는 과녁에 화살을 4번 쏘아 모두 맞혔습니다. ◯ 안의 수만큼 점수를 얻는 방법의 수를 구해 보세요.

❺ 12

1+1+3+7=12
1+1+5+5=12
1+3+3+5=12
3+3+3+3=12

4 가지

❻ 18

1+3+7+7=18
1+5+5+7=18
3+3+5+7=18
3+5+5+5=18

4 가지

❖ 연결자를 이용하여 잴 수 있는 길이는 모두 몇 가지인지 표를 이용하여 구해 보세요.

❼ 3 cm, 1 cm, 11 cm, 6 cm

잴 수 있는 길이	방법	잴 수 있는 길이	방법	잴 수 있는 길이	방법
1 cm	1	8 cm	11−3	15 cm	×
2 cm	3−1	9 cm	×	16 cm	11+6−1
3 cm	3	10 cm	11−1	17 cm	11+6
4 cm	3+1	11 cm	11	18 cm	11+6+1
5 cm	11−6	12 cm	11+1	19 cm	×
6 cm	6	13 cm	×	20 cm	11+6+3
7 cm	×	14 cm	11+3		

15 가지

마무리 평가

TEST 5 마무리 평가

이 외에도 여러 가지 방법이 있습니다.

✤ 다리를 한 번씩만 지나 모든 다리를 건널 수 있는 경로를 그려 보세요.

❶

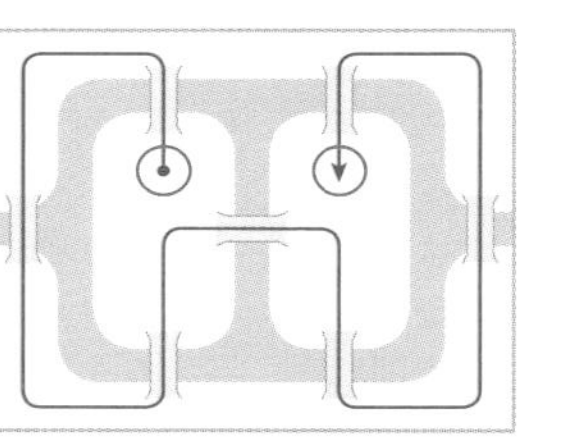

❷

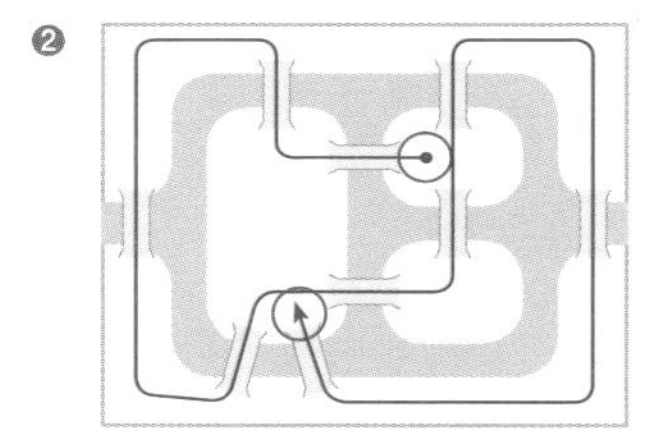

다리가 홀수 개 연결된 지역을 찾아 ○로 표시한 후 그 지역을 시작점 또는 끝점으로 하여 선으로 이어 봅니다.

✤ 가에서 나까지 가는 최단 거리의 수를 구해 보세요. 길이 막힌 곳은 갈 수 없습니다.

❸

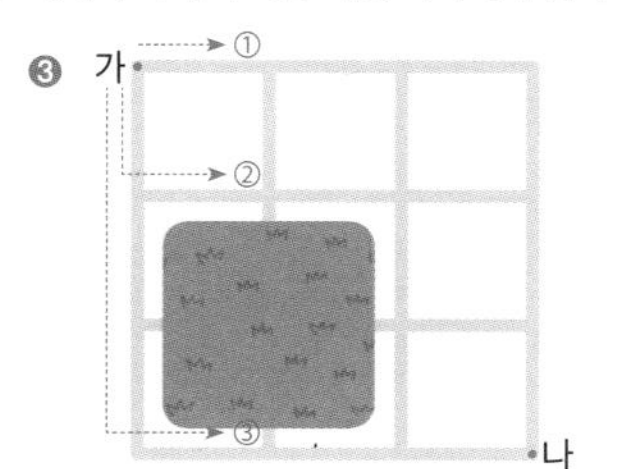

11 가지

① ➡ 나: 4+3=7(가지)
② ➡ 나: 3가지
③ ➡ 나: 1가지
따라서 가 ➡ 나: 7+3+1=11(가지)

❹

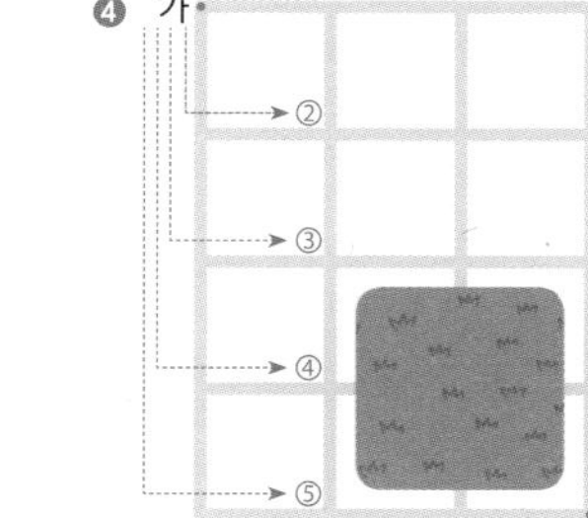

15 가지

① ➡ 나: 3+2+1+1=7(가지)
② ➡ 나: 2+1+1=4(가지)
③ ➡ 나: 1+1=2(가지)
④ ➡ 나: 1가지 ⑤ ➡ 나: 1가지
따라서 가 ➡ 나: 7+4+2+1+1=15(가지)

제한 시간 15분
맞은 개수 / 7개

✤ 세 수의 합이 다음 수가 되는 경우는 몇 가지인지 구해 보세요. 같은 수를 여러 번 더해도 되고, 순서만 바뀐 것은 한 가지로 생각합니다.

❺ 14

1+1+12=14
1+2+11=14
1+3+10=14
1+4+9=14
1+5+8=14
1+6+7=14
2+2+10=14
2+3+9=14
2+4+8=14
2+5+7=14
2+6+6=14
3+3+8=14
3+4+7=14
3+5+6=14
4+4+6=14
4+5+5=14

16 가지

❻ 16

1+1+14=16
1+2+13=16
1+3+12=16
1+4+11=16
1+5+10=16
1+6+9=16
1+7+8=16
2+2+12=16
2+3+11=16
2+4+10=16
2+5+9=16
2+6+8=16
2+7+7=16
3+3+10=16
3+4+9=16
3+5+8=16
3+6+7=16
4+4+8=16
4+5+7=16
4+6+6=16
5+5+6=16

21 가지

✤ 여러 가지 무게의 추를 양팔저울의 양쪽에 올려서 무게를 잴 때, 잴 수 있는 무게는 모두 몇 가지인지 표를 이용하여 구해 보세요.

❼

1g 4g 10g

잴 수 있는 무게	방법	잴 수 있는 무게	방법	잴 수 있는 무게	방법
1 g	1	6 g	10−4	11 g	10+1
2 g	×	7 g	10+1−4	12 g	×
3 g	4−1	8 g	×	13 g	10+4−1
4 g	4	9 g	10−1	14 g	10+4
5 g	4+1	10 g	10	15 g	10+4+1

12 가지

pensées

pensées

사고가 자라는 수학

씨투엠에듀 교재 로드맵

*일부 교재 출시 예정입니다.

대상	사고력 사고력수학의 시작 팡세	도형 하루 10분 도형 학습지 플라토	연산 상위권으로 가는 연산 학습지 응용연산	서술형 하루 10분 서술형/문장제 학습지 수학독해	영재교육원 대비 영재교육원 관찰추천 사고력 수학 필즈수학
6세	S1 패턴 S2 퍼즐과 전략 S3 유추 S4 카운팅	S1 평면규칙 S2 도형조작 S3 입체설계 S4 공간지각	S1 10까지의 수 S2 20까지의 수 S3 한 자리 수 덧셈 S4 덧셈과 뺄셈	S1 9까지의 수 S2 방향과 위치 S3 더하기와 빼기 S4 속성 분류	
7세	P1 패턴 P2 퍼즐과 전략 P3 유추 P4 카운팅	P1 평면규칙 P2 도형조작 P3 입체설계 P4 공간지각	P1 50까지의 수 P2 100까지의 수 P3 덧셈과 뺄셈(1) P4 덧셈과 뺄셈(2)	P1 20까지의 수 P2 비교하기 P3 덧셈과 뺄셈 P4 모양과 규칙	
초1	A1 패턴 A2 퍼즐과 전략 A3 유추 A4 카운팅	A1 평면규칙 A2 도형조작 A3 입체설계 A4 공간지각	A1 한 자리 수 덧셈 A2 (십몇)-(몇) A3 덧셈과 뺄셈(1) A4 덧셈과 뺄셈(2)	A1 100까지의 수 A2 덧셈과 뺄셈 I A3 시계와 규칙 A4 덧셈과 뺄셈 II	
초2	B1 패턴 B2 퍼즐과 전략 B3 유추 B4 카운팅	B1 평면규칙 B2 도형조작 B3 입체설계 B4 공간지각	B1 곱셈구구 B2 나눗셈구구 B3 덧셈과 뺄셈 B4 곱셈과 나눗셈	B1 네 자리 수 B2 덧셈과 뺄셈 B3 곱셈구구 B4 길이와 시간	
초3	C1 패턴 C2 퍼즐과 전략 C3 유추 C4 카운팅	C1 평면규칙 C2 도형조작 C3 입체설계 C4 공간지각	C1 분수와 소수 C2 여러 가지 분수 C3 곱셈과 나눗셈 C4 큰 수의 계산	C1 덧셈과 뺄셈 C2 곱셈과 나눗셈 C3 측정 단위 C4 분수와 소수	입문 상 입문 중 입문 하
초4	D1 패턴 D2 퍼즐과 전략 D3 유추 D4 카운팅	D1 평면규칙 D2 도형조작 D3 입체설계 D4 공간지각	D1 분수 덧셈·뺄셈 D2 소수 덧셈·뺄셈 D3 혼합 계산 D4 약수와 배수	D1 자연수 D2 평면도형 D3 분수와 소수 D4 통계와 규칙	초급 상 초급 하
초5	출시 예정 E1 패턴 E2 퍼즐과 전략 E3 유추 E4 카운팅	E1 평면규칙 E2 도형조작 E3 입체설계 E4 공간지각	E1 분수 덧셈·뺄셈 E2 분수의 곱셈 E3 분수의 나눗셈 E4 분수·소수 혼합	출시 예정 E1권 E2권 E3권 E4권	중급 상 중급 하
초6	출시 예정 F1 패턴 F2 퍼즐과 전략 F3 유추 F4 카운팅	F1 평면규칙 F2 도형조작 F3 입체설계 F4 공간지각		출시 예정 F1권 F2권 F3권 F4권	고급 상 고급 하

Man is but a reed,
the most feeble thing in nature;
but he is a thinking reed,

"인간은 자연에서 가장 연약한 갈대에 불과하다.
하지만 인간은 생각하는 갈대이다."

Blaise Pascal, 블레즈 파스칼

초등 수학 교구 상자

펜토미노턴

평면 공간감각을 길러주는 회전 펜토미노 퍼즐

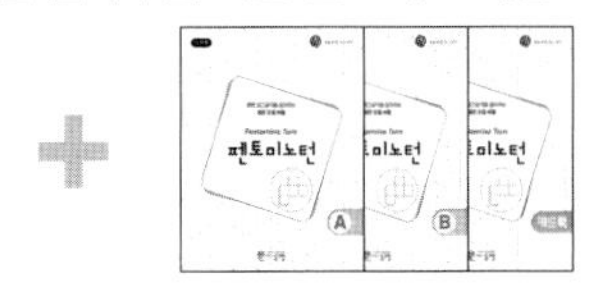

초등학생들이 어려워하는 '평면도형의 이동'을 펜토미노와 패턴블록으로 도형을 직접 돌려 보며 재미있게 해결하는 공간감각 퍼즐입니다.

큐브빌드

입체 공간감각을 길러주는 멀티큐브 퍼즐

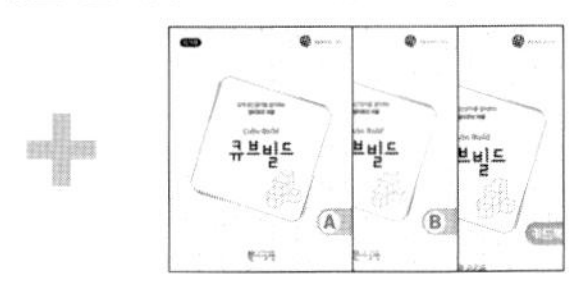

머릿속으로 그리기 어려운 입체도형을 쌓기나무와 멀티큐브를 이용하여 직접 만들어 위, 앞, 옆 모양을 관찰하고, 다양한 입체 모양을 만드는 공간감각 퍼즐입니다.

폴리탄

도형 감각을 길러주는 입체 칠교 퍼즐

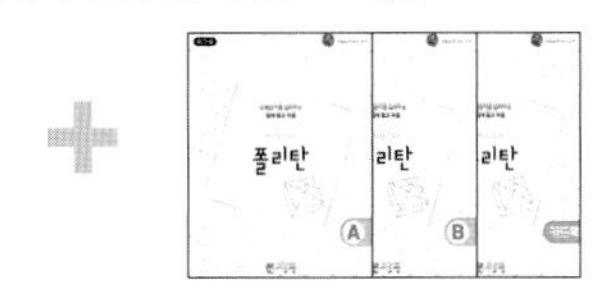

정사각형을 7조각으로 자른 '입체 칠교'와 직각이등변삼각형을 붙인 '입체 볼로'를 활용하여 평면뿐만 아니라 다양한 입체도형 문제를 해결하는 퍼즐입니다.

트랜스넘버

자유자재로 식을 만드는 멀티 숫자 퍼즐

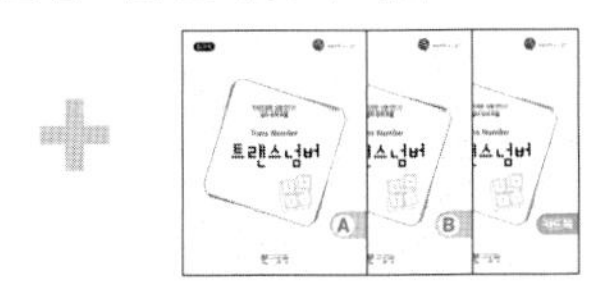

자유자재로 식을 만들고 이를 변형, 응용하는 활동을 통해 연산 원리와 연산감각을 길러주는 멀티 숫자 퍼즐입니다.

머긴스빙고

수 감각을 길러주는 창의 연산 보드 게임

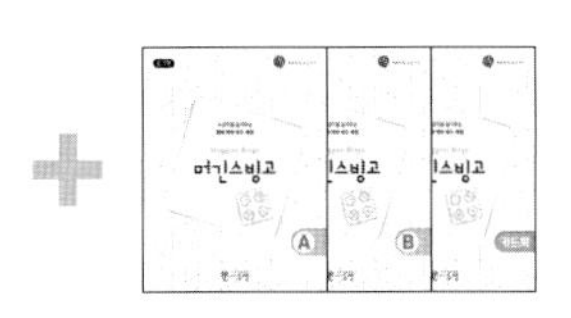

빙고 게임과 머긴스 게임을 활용하여 수 감각과 연산 능력을 끌어올리고 전략적 사고를 키우는 사고력 보드 게임입니다.

폴리스퀘어

공간감각을 길러주는 입체 폴리오미노 보드 게임

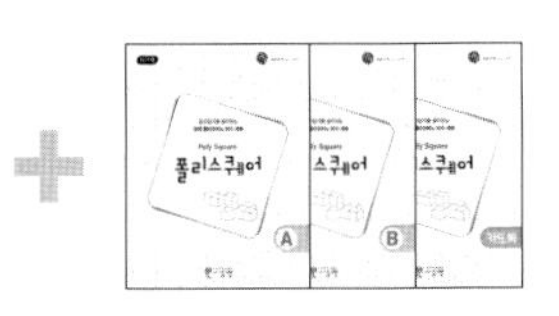

모노미노부터 펜토미노까지의 폴리오미노를 이용하여 다양한 모양을 만들어 보고, 여러 가지 땅따먹기 게임 등을 통해 공간감각을 기를 수 있는 보드 게임입니다.

큐보이드

입체를 펼치고 접는 전개도 퍼즐

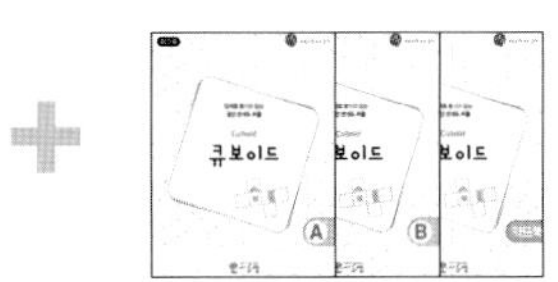

여러 가지 모양의 면을 자유롭게 연결하여 접었다 펼치는 활동을 통해 정육면체, 직육면체 전개도의 모든 것을 알아보는 전개도 퍼즐입니다.